LE CAUCHEMAR AMÉRICAIN
ESSAI SUR LES VESTIGES DU PURITANISME
DANS LA MENTALITÉ AMÉRICAINE ACTUELLE
de Robert Dôle
est le cinq cent cinquante-huitième ouvrage
publié chez
VLB ÉDITEUR.

LE CAUCHEMAR AMÉRICAIN
ESSAI SUR LES VESTIGES
DU PURITANISME
DANS LA MENTALITÉ
AMÉRICAINE ACTUELLE

Robert Dôle

Le cauchemar
américain

Essai sur les vestiges du puritanisme
dans la mentalité américaine actuelle

vlb éditeur

VLB ÉDITEUR
Une division du groupe Ville-Marie Littérature
1010, rue de la Gauchetière Est
Montréal, Québec
H2L 2N5
Tél.: (514) 523-1182
Télécopieur: (514) 282-7530

Maquette de la couverture: Nicole Morin

Illustration de la couverture: Olivier Lasser

Données de catalogage avant publication (Canada)

Dôle, Robert, 1946-
    Le cauchemar américain: essai sur les vestiges du puritanisme dans la mentalité américaine actuelle
    Comprend des réf. bibliogr.
    ISBN 2-89005-628-7
    1. États-Unis — Civilisation — 20ᵉ siècle. 2. Puritanisme — États-Unis. 3. États-Unis — Mœurs et coutumes. 4. Mentalités — États-Unis. I. Titre.
E169.12.D64 1996   973.92   C95-941890-3

DISTRIBUTEURS

• Pour le Québec, le Canada
et les États-Unis:
LES MESSAGERIES ADP*
955, rue Amherst, Montréal,
Québec H2L 3K4
Tél.: (514) 523-1182
Télécopieur: (514) 939-0406
*Filiale de Sogides ltée

• Pour la Belgique et le Luxembourg:
PRESSES DE BELGIQUE S.A.
Boulevard de l'Europe, 117,
B-1301 Wavre
Tél.: (10) 41-59-66 et (10) 41-78-50
Télécopieur: (10) 41-20-24

• Pour la Suisse:
TRANSAT S.A.
Route des Jeunes, 4 Ter,
C.P. 125, 1211 Genève 26
Tél.: (41-22) 342-77-40
Télécopieur: (41-22) 343-46-46

• Pour la France et les autres pays:
INTER FORUM
Immeuble PARYSEINE,
3, allée de la Seine, 94854 IVRY Cedex
Tél.: (1) 49.59.11.89/91
Télécopieur: (1) 49.59.11.96
Commandes: Tél.: (16) 38.32.71.00
Télécopieur: (16) 38.32.71.28

© 1996 VLB ÉDITEUR et Robert Dôle
Dépôt légal — 1ᵉʳ trimestre 1996
Bibliothèque nationale du Québec
ISBN 2-89005-628-7

À la mémoire de Mark Frechette
4 décembre 1947 - 27 septembre 1975

Mes dormeurs vont s'enfuir vers une autre Amérique.

JEAN GENET

REMERCIEMENTS

J'aimerais remercier très sincèrement mes amis Romain Gaudreault, Rémi Schlemmer, Luc Boudreault, Éric Camier, Nathalie Lessard, Yvette Boulay, Élizabeth Dambeza, Françoise Labelle, Clément Moisan et Renate Moisan pour leurs suggestions d'améliorations de style et de contenu. Il va sans dire que les thèses avancées dans cet essai n'engagent que moi.

J'aimerais également remercier les maisons d'édition qui m'ont permis de citer des extraits de leurs publications.

Introduction

> L'anarchie pure est imposée au monde,
> La marée ensanglantée est déchaînée
>   et partout
> L'éloge de l'innocence s'est évanoui;
> Les meilleurs manquent de conviction,
>   tandis que les mauvais
> Sont chargés d'une passion intense.
>
>   W. B. YEATS

L'hypothèse fondamentale du présent essai veut que la mentalité américaine d'aujourd'hui soit le produit du puritanisme du XVIIᵉ siècle. Cette idée paraît banale à première vue, surtout si on pense à l'hypocrisie en matière sexuelle — par exemple, les hommes politiques n'ont pas le droit de faire ce que font les citoyens — ou au mouvement des *born-again Christians*. Ce qui m'intéresse pourtant, ce sont les vestiges de la mentalité puritaine précisément là où on ne les soupçonnerait pas de prime abord. Je pense, entre autres, à la politique extérieure des États-Unis, au mouvement de libération des homosexuels et au féminisme américain. Dans l'esprit des Américains, toute intervention militaire ou politique dans d'autres pays est justifiée par le fait que les Américains sont toujours le peuple élu de Dieu,

ce dont les puritains du XVIIe siècle étaient entièrement convaincus. Le féminisme américain hérite
aussi de cette tradition de pensée en donnant aux
femmes le statut de peuple élu par rapport aux
hommes déchus. Le mouvement homosexuel est
une manifestation de la tradition de confession publique qui joue un rôle primordial dans le comportement puritain. Établir des liens entre les sermons
des pasteurs du XVIIe siècle et l'articulation des
mouvements homosexuel ou féministe ne sera pas
toujours tâche facile, mais le plaisir d'un raisonne-
ment est aussi grand que le défi qu'il présente.

Voici mon hypothèse: À l'insu des Américains,
il existe un caractère américain, une mentalité américaine, un comportement américain qui sont
propres au peuple américain et qui le distinguent
d'autres nationalités. Les Américains, par contre,
tendent à croire que leur mentalité est universelle.
La manière de penser et d'agir des Américains
remonte au XVIIe siècle. Ces derniers pensent généralement que leurs politiques gouvernementales et
leurs relations interpersonnelles dérivent de la
nature universelle de l'homme et des lois de la logique. Dès lors, ils sont aveugles à ce qui est unique
chez eux et ne comprennent donc pas le choc culturel que vivent maints étrangers lorsqu'ils arrivent
aux États-Unis.

Les Américains croient aussi que leurs tendances actuelles sont tout à fait modernes. Mon hypothèse de l'influence durable de leur passé puritain
aurait de quoi les surprendre. Il reste qu'à mon avis
le caractère américain a été façonné par l'expérience
puritaine qui a laissé toutes sortes de traces, parfois
évidentes, mais parfois trop subtiles pour être déce-

lées au premier coup d'œil. Les intérêts américains
changent; changent aussi les tendances sociales et
philosophiques, mais il existe quand même quelque
chose de permanent dans le caractère américain, et
c'est précisément ce quelque chose que je veux retrouver chez les ancêtres puritains. Devant toutes
ces nouvelles idées *politically correct* qui se manifes-
tent année après année, j'ai la réaction suivante:
plus ça change, plus c'est pareil.

Je vais me concentrer sur quatre aspects de la
mentalité et de la vie puritaines du XVIIe siècle et sur
leurs vestiges au XXe: l'individualisme, la division
entre les élus de Dieu et les non-élus, la cruauté et la
confession publique. Je montrerai que ces aspects de
la mentalité puritaine sont présents dans la vie contemporaine des États-Unis, telle qu'on la retrouve
présentée dans les romans récents de Joyce Carol
Oates. Finalement, j'exposerai les idées critiques
d'autres auteurs à l'égard du marasme social et spirituel des Américains d'aujourd'hui.

Les vestiges du puritanisme dont il sera question ici ne sont pas limités aux États-Unis, bien
qu'ils y trouvent leur origine. Le XXe siècle est le
siècle américain par excellence. Les tendances sociales et culturelles qui y naissent se propagent dans
tous les autres pays du monde, surtout dans les
pays capitalistes avancés. Depuis la chute du socialisme en Europe et ailleurs, plus rien n'empêche
l'américanisation de la planète. La critique de la
situation actuelle de mon pays d'origine peut donc
servir d'avertissement aux autres nations qui continuent à suivre, qui seraient tentées de le faire,
l'exemple américain. Le malaise spirituel et social
des États-Unis d'aujourd'hui risque fort bien de se

reproduire dans les sociétés qui abandonnent leur mode de vie traditionnel pour adopter celui de la société de consommation.

Pourtant, le but de ce livre n'est pas de critiquer tout ce qui passe dans la culture américaine contemporaine en la comparant aux excès de mes ancêtres puritains. Plutôt, j'essaie de retrouver dans les origines lointaines des tendances qui ont abouti aux phénomènes culturels actuels. Bien sûr, je condamne les expressions de la cruauté américaine telles que les bombardements de grandes villes, la peine capitale et le manque de programmes sociaux. La cruauté qui motive ces phénomènes fait partie d'une tradition de cruauté qui trouve ses racines dans l'expérience puritaine du XVIIe siècle. Les Américains d'aujourd'hui admettent que la violence est un aspect omniprésent de la vie sociale. Ils disent: *Violence is as American as apple pie* (La violence est aussi américaine que la tarte aux pommes). Je me rappelle une contravention pour un stationnement interdit que j'ai attrapée à Washington, sur laquelle on pouvait lire, écrit en caractères gras: «Toute attaque contre un policier («aubergine» à Paris) sera punie au maximum en vertu de la loi.» Il paraît donc que la réaction normale à une contravention soit d'attaquer le policier qui l'émet. Toutefois, les Américains ne parlent pas du phénomène que j'appelle la cruauté américaine. Pourtant, tout acte de violence implique la cruauté. Il est quand même curieux qu'un peuple se voit comme violent, mais nie en même temps son caractère cruel.

Si je condamne la cruauté, je n'ai rien contre la confession publique et je tends moi aussi à diviser le monde en deux classes: les élus et les non-élus. Pour moi, les élus sont les exploités et les non-élus, les exploiteurs. C'est un mariage du puritanisme et du marxisme qui me convient parfaitement. Je peux donc sympathiser avec les mouvements féministe et homosexuel qui dérivent de la tradition puritaine sans accepter les actes de cruauté commis par le gouvernement américain, lesquels découlent de la même tradition.

La tentative de conjuguer les bonnes et les mauvaises qualités du puritanisme tient à mon histoire personnelle. Je sais fort bien que mes vices sont des vices puritains, que mes vertus sont des vertus puritaines, car je descends, tant par mon père que par ma mère, de familles puritaines qui vivent en Nouvelle-Angleterre depuis 1620. Le fardeau de mon héritage familial était tellement lourd qu'il m'a fallu vingt-six années d'exil pour commencer à comprendre l'importance de l'influence puritaine sur ma propre façon de vivre et de voir le monde. Cet essai sera donc un travail d'introspection à la fois personnelle et collective. Dans ce sens, il constituera l'autobiographie d'une tribu, celle des puritains et de leurs descendants.

Ma tentative de décrire la mentalité américaine découle de mes efforts pour comprendre ma propre mentalité. Je ne nie pas du tout que ma façon de penser et d'agir reste essentiellement américaine, malgré le fait que j'ai passé toute ma vie d'adulte à l'étranger.

J'ai été élevé dans un milieu pleinement représentatif de la mentalité puritaine, en ce sens que mes parents sont nés en Nouvelle-Angleterre en 1903. Ils avaient donc acquis les fondements de leur éducation avant le début de la Première Guerre mondiale, moment qui marque en quelque sorte le commencement du XXe siècle du point de vue culturel et social. Ils avaient quarante-trois ans lorsque je suis né. J'ai ainsi entendu à la maison des commentaires qui rappelaient une époque lointaine de l'histoire américaine. Mon père, par exemple, craignait que je ne perde mon poste de professeur d'anglais à l'Université du Québec à Chicoutimi parce que j'avais traduit de l'allemand une nouvelle de Stefan Zweig qui finit par une scène d'amour. Dans ma famille, chaque fois qu'on entend parler d'un couple qui vit ensemble sans être marié, il est normal de s'écrier: «Choquant!» J'ai donc été un espion dans le pays des derniers vrais puritains, et mes révélations pourront sembler être l'acte d'un traître.

Pourtant, je ne me considère pas comme un traître. Il fallait simplement que j'abandonne mon pays d'origine afin de trouver une paix intérieure, car je ne pouvais réconcilier mes valeurs avec celles de la société américaine de la fin du XXe siècle. J'aimais trop mon pays pour vouloir assister à son déclin.

J'ai pris la décision de passer toute ma vie d'adulte en exil en 1968, soit à l'âge de vingt-deux ans, une semaine après avoir reçu mon diplôme de l'Université Harvard, bastion des puritains. Neuf années en Europe et dix-huit à Chicoutimi m'ont rendu apte à voir ma patrie dans la perspective d'un étranger. Je crois savoir ce qui est unique aux États-Unis parce que j'ai pu observer dans d'autres pays l'absence de ces phénomènes proprement américains. La triple perspective américaine-européenne-québécoise va donner à mes réflexions des tournures originales, parfois peut-être excentriques. Plus je vieillis, plus je reconnais le caractère tout à fait américain de mes pensées les plus profondes. Plus aussi j'en suis secrètement fier. Mon non-conformisme, par exemple, fait partie de la tradition hautement individualiste des philosophes de la Nouvelle-Angleterre, surtout des transcendantalistes du XIXe siè-cle dont Henry David Thoreau est le meilleur exem-ple. Thoreau refusa de payer sa capitation, en guise de protestation contre l'esclavage et la guerre au Mexique. Je suis très fier de n'avoir jamais donné un seul sou noir en impôts au gouvernement améri-cain, car ma conscience de pacifiste ne m'autorise pas à contribuer à ses manœuvres belliqueuses.

Quand j'ai quitté mon pays malheureux, j'étais un jeune homme en colère contre une société qui me semblait être l'empire du mal. Je ne fuyais pas que la guerre, le racisme, le matérialisme et la violence. Je fuyais également les Américains eux-mêmes, leur mentalité, leur culture, leur comportement, leurs complexes, leur vulgarité, leur idiome. Maintenant que j'approche la cinquantaine, ma colère s'est transformée en pitié, ce que je voyais auparavant comme un mal moral est devenu une grande mala-die sociale. Or on ne peut en vouloir à un patient agonisant. Je garde tout de même mes distances. Je sais que je souffre d'un certain malaise métaphysi-que chaque fois que je vais aux États-Unis. J'ai tou-jours hâte de revenir au Québec où je me sens libre et en sécurité. Je n'ai jamais adopté les valeurs de la société américaine. Son matérialisme et son militu-risme me répugnent autant qu'avant. Je tire conso-lation de l'idée que chacun de mes ancêtres puri-tains, s'ils pouvaient réapparaître, suivrait mon exemple et plierait bagage pour se diriger vers un autre pays ou une autre planète.

J'ai choisi d'écrire cet essai dans la langue de Molière plutôt que dans celle de Shakespeare afin de souligner ma propre francisation. Mon point de vue quand je regarde les États-Unis est surtout celui d'un étranger. J'espère que les lecteurs francophones seront plus sympathiques à mes idées que ne le seraient les lecteurs anglophones. En fait, cet espoir me permet d'exprimer mes idées plus librement. Je me demande d'ailleurs si j'aurais le courage de rédiger cet essai en anglais sachant que les Timothy McVeigh et ses partenaires de l'extrême droite américaine le liraient. Que l'apprentissage des langues étrangères ne fasse pas partie des us et coutumes des fascistes m'est certes favorable.

Pour ma part, si j'ai appris à parler sept langues, c'est pour m'assurer que mes communications et mes références culturelles ne soient pas limitées à celles de mon pays d'origine.

Ce livre contient de nombreuses citations d'auteurs américains, cela afin de montrer à quel point la déception des Américains à l'égard de leur pays est généralisée. J'ai fait moi-même la traduction des citations, à l'exception de celles de Max Weber.

❑

Ce livre est dédié à la mémoire douce et amère de mon ami Mark Frechette (j'écris ce nom de famille d'origine québécoise sans accent, car il est né aux États-Unis et portait ce nom sans accent). Sa mémoire est douce parce qu'il était mon ami le plus cher, celui que j'aimais le plus et que j'admirais le plus. Elle est amère parce qu'il a été tué en prison à l'âge de vingt-sept ans. Il était digne d'une autre vie, d'une autre mort.

J'ai fait sa connaissance à Cambridge en 1966. J'avais vingt ans et lui dix-huit. Nous étions tous les deux des hippies, des révolutionnaires en pleine révolte contre la société américaine. J'étudiais à Harvard et, lui, il vendait de la marijuana. Il vivait dans ma chambre sur le campus de l'université. Quand je lui ai annoncé ma décision de passer ma vie en exil, en juin 1968, il m'a dit que j'étais un traître, que mon pays avait besoin de moi, que je ne serais qu'un touriste pour le reste de mes jours. Ses paroles me hantent toujours. Dans un certain sens, je me sens coupable d'avoir abandonné ma patrie. Pourtant, je n'aurais pas eu la possibilité de la comprendre bien si je ne l'avais pas vue de l'extérieur pendant de nombreuses années. J'espère que le présent essai compensera en quelque sorte mon abandon d'un navire en naufrage.

Un mois après mon départ, en 1968, Mark était découvert par Michelangelo Antonioni, cinéaste italien, qui a réalisé un film dans lequel Mark prenait la vedette: *Zabriskie Point*. Après un bref moment de gloire internationale, Mark était oublié par le monde. En 1973, il a commis un vol à main armée dans la banque avec laquelle il faisait affaire afin de protester contre la société de consommation et l'impérialisme capitaliste. Il s'attendait à ce que les masses suivent son exemple, et que la révolution socialiste soit ainsi déclenchée. Le juge, incapable de comprendre les subtilités de son geste, l'a condamné à sept ans d'incarcération. Le courroux de Mark était celui d'un prophète qui sait que son pays n'est pas ce que Dieu veut qu'il soit.

Rares sont les révolutionnaires des années soixante qui n'ont pas abandonné la lutte et les idéaux de cette époque-là. Mark est resté fidèle à sa vision d'une autre Amérique jusqu'à la fin. Je me suis souvent demandé ce qu'il penserait du fait que j'ai choisi le Québec, pays de ses ancêtres, comme demeure permanente. Est-ce qu'il comprendrait que je maintiens le flambeau de notre révolte plus diligemment à l'étranger que je n'aurais pu le faire si j'étais resté sur le sol américain?

Cet essai donnera peut-être une réponse par- tielle à une question que Mark a posée lorsqu'il se trouvait en prison en parlant des trois années que nous avions passées ensemble: «En 1966, 1967 et 1968, il y avait quelque chose d'extraordinaire. Les échanges étaient merveilleux. Je n'ai pas changé. Tous les autres sont partis. Où sont-ils allés[1]?»

1. *The Boston Globe*, 9 septembre 1973.

CHAPITRE PREMIER

L'individualisme

Je me célèbre, et me chante,
Et ce que je présume, tu le présumeras.

WALT WHITMAN

Ce qui frappe le plus la personne qui vient d'une société traditionnelle lorsqu'elle arrive aux États-Unis est l'individualisme féroce des Américains. La vie semble être une lutte acharnée de chacun contre tout le monde. Derrière les sourires et les plaisanteries abondantes se trouvent une méfiance et une peur face à autrui. Un climat de compétitivité règne. Tout le monde veut être plus riche, plus élégant, plus *successful* que son prochain.

Les racines de l'individualisme du XXe siècle plongent dans la mentalité puritaine du XVIIe siècle. Le puritain était seul dans sa relation avec Dieu: ni prêtre, ni église, ni pape ne pouvait intervenir entre lui et son Dieu. Un expert du puritanisme, Perry Miller, affirme: «L'image de l'individu pieux et tremblant, enfermé seul avec sa Bible, de celui qui se promène en solitude avec Dieu, est souvent acceptée comme le vrai symbole de l'esprit puritain[1].»

La relation de l'individu avec Dieu est certes primordiale dans toutes les religions monothéistes du monde. Pourtant, elle revêt un caractère exceptionnel dans la mentalité puritaine, au point d'exclure tout ce qui pourrait brouiller les liens directs entre l'âme de l'individu et Dieu. Tawney le dit ainsi: «Tandis que la révélation de Dieu à l'âme de l'individu est le centre de toute religion, la théologie puritaine en faisait toute l'étendue et toute la substance aussi bien que le centre et elle rejetait comme déchet et vanité tout ce qui n'appartenait pas à cette communion secrète et solitaire[2].»

En vue de rendre le contact plus direct, les puritains ont dépouillé la religion de tout ce qui pouvait constituer une distraction, de tout ce qui pouvait cacher Dieu et gêner la communication de l'individu avec Lui. Aucun étalage de splendeur artistique dans les églises de la Nouvelle-Angleterre. Les fenêtres étaient claires et les bâtiments, simples. Dans leurs doctrines, les puritains ont éliminé ce qu'ils trouvaient superflu, comme la Vierge Marie, les miracles, et même, dans le cas des unitariens, la Trinité. En fait, ils préféraient de loin l'Ancien Testament au Nouveau, car le personnage de Jésus semblait introduire un élément de trop dans la relation entre l'individu et Dieu le Père.

Il n'existait pas de possibilité de pardon, car il n'y avait pas de confesseurs: l'individu vit seul avec sa conscience. L'acte religieux le plus important était la lecture de la Bible, mais, là encore, il s'agissait de l'individu qui lit dans la solitude de sa chambre. La solitude était vue comme inhérente à la spiritualité.

On pense souvent que le mot «puritain» ne s'applique qu'aux mœurs sexuelles. Pourtant, pour

les puritains eux-mêmes, le mot signifiait la purifi-
cation de la religion. Ils reprochaient aux catholiques, qu'ils appelaient papistes, d'éluder les questions concernant les éléments fondamentaux de la
religion chrétienne par des cérémonies divertissan-
tes et une hiérarchie ecclésiastique qui dépouillait
l'Évangile de son vrai message. Ils voulaient recons-
tituer la simplicité et la pureté de l'Église du début
de l'ère chrétienne. Un exemple de cette tendance
est leur prédilection pour le commandement de
Micah que l'on retrouve dans plusieurs de leurs sermons et même sur les murs de maintes églises de la
Nouvelle-Angleterre: «On t'a fait connaître, ô
homme, ce qui est bien, et ce que l'Éternel demande
de toi, c'est que tu pratiques la justice, que tu aimes
la miséricorde et que tu marches humblement avec
ton Dieu», et rien que cela. La pureté de Dieu com-
mande la simplicité dans toute pratique religieuse.
Les puritains ne s'intéressaient guère à la possibilité
d'une vie après la mort. La question ne se posait
même pas. La grâce divine faisait partie de la vie de
tous les jours, et elle suffisait.

Le but de la vie chrétienne était la «régénération» de l'âme individuelle par l'obtention de la
grâce divine, une faveur que Dieu accorde de
manière plus ou moins arbitraire. Il était quand
même certain que seuls ceux qui la désiraient
étaient touchés par la grâce. Cependant, ceux qui la
voulaient sans pourtant l'obtenir étaient légion. Elle
pouvait arriver soudainement, dans une extase béa-
tifique, mais elle pouvait aussi croître lentement
pendant toute la vie de l'individu. Si la grâce se
manifestait subitement, l'individu était certain de
l'avoir obtenue. Par contre, si elle arrivait d'une

manière moins marquée, il n'était pas vraiment sûr de l'avoir reçue. Quoi qu'il en soit, ceux à qui Dieu donnait sa grâce constituaient son peuple élu, et les autres étaient les damnés. Perry Miller décrit ainsi ce phénomène: «Le résultat immédiat était la création de deux classes de gens distinctes: les saints visibles et ceux dont le moins que l'on puisse dire est qu'ils ne sont pas encore visiblement sauvés[3].»

Évidemment, des millions de puritains croyaient qu'ils faisaient partie du peuple élu sans l'être en réalité. Il fallait en tout cas montrer qu'on était choisi par Dieu. D'où les mœurs extrêmement strictes des puritains qui pensaient que le peuple élu ne pécherait pas. Si l'individu faisait preuve de faiblesse ou de dépravation dans sa vie personnelle, ses voisins sauraient qu'il n'appartenait pas au groupe des élus. Mais là, ils se trompaient, du moins selon les théologiens puritains qui affirmaient, à la surprise de maints fidèles, qu'une personne qui vivait dans la grâce était capable de commettre toutes sortes de péchés sans pour autant perdre la grâce.

La quête de la grâce a constitué un des thèmes principaux des sermons et des poèmes des puritains du XVIIe siècle. Le poète Edward Taylor dans un poème écrit en 1686 en donne un exemple:

> Seigneur, que tes rayons dorés pénètrent mes yeux
> et y laissent une lumière céleste afin de donner
> à mon âme une lumière glorieuse qui me
>   permettra de voir
> afin que la grâce brûle en moi[4].

Puisque ce qui comptait le plus dans la religion puritaine était la relation secrète de l'individu avec

Dieu, il arrivait fréquemment que les esprits diver-
gent, avec le résultat que de nombreuses nouvelles
religions ont vu le jour. Si une Église ne correspon-
dait pas à l'expérience religieuse de l'individu, il
était libre d'en chercher une autre ou bien d'en fon-
der une nouvelle. D'où la pléthore d'Églises protestantes différentes qui existent aux États-Unis. Pourtant, la liberté religieuse dont les Américains se
vantent tant n'existait pas vraiment dans la colonie
puritaine du XVIIᵉ siècle. Pendant les trente premières années de la colonie, il se produit déjà deux
schismes majeurs: celui de Roger Williams qui est
expulsé du Massachusetts et qui fonde le Rhode
Island et celui d'Anne Hutchison, elle aussi bannie.
Les puritains pendent quatre quakers dans le Boston Common afin de les punir de leur hérésie.

La liberté de l'individu dans sa relation personnelle avec Dieu était telle que la poétesse Anne
Bradstreet pouvait avouer en secret à ses enfants
qu'elle était souvent tentée par l'athéisme: «Satan m'a
souvent perturbée à l'égard des vérités de la Bible, et
l'athéisme m'a fait me demander si Dieu existe[5].»

Les historiens et les sociologues ont déjà
démontré amplement que la naissance et le développement du capitalisme coïncident avec l'avènement du protestantisme. L'ère capitaliste est l'ère
protestante. On peut citer, entre autres, les ouvrages
d'Ernst Troeltsch, *Protestantism and Progress* (1912),
de Max Weber, *Die protestantische Ethik und der Geist
des Kapitalismus* (1920; en français: *L'éthique protestante et l'esprit du capitalisme*) et de R. H. Tawney,
Religion and the Rise of Capitalism (1926). Tous ces
auteurs révèlent que les pratiques de base du capitalisme, qui consistent dans l'investissement, donc

le prêt et l'emprunt de l'argent, étaient interdites par l'Église de Rome et ne sont devenues courantes qu'au moment de la Réforme protestante. Avant la naissance du protestantisme, seuls les Juifs pouvaient prêter de l'argent.

Tawney souligne que les vertus des puritains étaient celles qui permettaient au capitalisme de fonctionner. On n'a qu'à lire le *Poor Richard's Almanac* (1733) de Benjamin Franklin pour connaître la liste de ces vertus: par exemple, «un sou épargné est un sou gagné», «se coucher tôt, se lever tôt rend un homme sain, riche et sage». Tawney déclare: «La reconnaissance accordée par l'éthique puritaine aux vertus économiques, dans un âge où ces vertus étaient plus rares qu'aujourd'hui, donna une impulsion à l'efficacité économique[6].»

Les sermons de la Nouvelle-Angleterre reflètent l'inquiétude des pasteurs devant la croissance remarquable de l'intérêt capitaliste des fidèles. Les Églises protestantes n'ont pas le pouvoir d'endiguer les tendances matérialistes du capitalisme qui menacent la vie spirituelle des fidèles. Dès 1632, juste douze ans après la création du Massachusetts, on a peur que l'adoration de l'argent ne remplace celle de Dieu. Les théologiens relatent les paroles de Jésus à ce sujet: «Nul ne peut servir deux maîtres: ou il haïra l'un et aimera l'autre, ou s'attachera à l'un et méprisera l'autre. Vous ne pouvez servir Dieu et la Richesse.» (Matthieu, VI, 24.) Max Weber décrit ainsi ce phénomène: «Pour notre propos, il suffit de faire remarquer que l'esprit du capitalisme [au sens où nous l'entendons ici] existait sans aucun doute dans le pays qui a vu naître Benjamin Franklin, le Massachusetts, avant que ne se développe l'ordre capitaliste. Dès 1632, des doléances s'étaient élevées contre l'excès du calcul dans la poursuite du profit, propre à la Nouvelle-Angle-terre qui se distinguait ainsi des autres contrées de l'Amérique[7].»

Le pasteur John Cotton dresse une liste des maux de la nouvelle communauté de Boston, dans laquelle il insiste sur «l'oppression des débiteurs par les créanciers, l'usure et le mercantilisme[8]». Il attaque l'activité fondamentale du capitalisme: le prêt de l'argent et l'exploitation de l'emprunteur par le prêteur. Cotton déclare: «C'est un fait affli-geant que les riches ont toujours dévoré les biens des pauvres par l'oppression[9].» S'il avait exprimé une telle idée marxiste dans les années cinquante du XXe siècle, il aurait eu à se défendre devant le Committee on Un-American Activities du Congrès à Washington.

C'est précisément le conflit entre Dieu et la richesse qui est la racine de la crise spirituelle des Américains de toutes les générations. Comment un peuple peut-il prétendre être le représentant de Dieu sur terre et, en même temps, faire du culte de l'argent sa principale religion? En effet, les puritains deviennent en quelques années la tribu la plus riche, la plus puissante et la plus impérialiste de l'histoire mondiale. Les autres pays, qui voient l'abondance aux États-Unis, sont fondés à se de-mander si Dieu est toujours présent dans l'esprit des Américains. Ces derniers semblent avoir oublié que Jésus a dit qu'il est très difficile à un homme riche d'entrer au royaume de Dieu (Matthieu, XIX, 24). Devant l'augmentation phénoménale de la richesse des puritains, les pasteurs doivent faire des compromis. Ils allégueront que, bien que la quête de l'argent soit condamnable, l'obtention de la richesse par la pratique des vertus puritaines telles que la sobriété, le travail, la discipline et les études est une récompense normale offerte par Dieu lui-même. La possession de l'argent devient donc un signe de la grâce divine. On affiche la grâce. Plus on est riche, plus on est aimé de Dieu. Perry Miller exprime cette justification de la richesse des chrétiens ainsi: «Puisque la richesse est la récompense de la sainteté, elle entre dans les desseins de Dieu. Plus un homme est riche, plus il a d'occasions de faire du bien, si Dieu lui en donne l'envie. Dans la mesure où les hommes avaient bon cœur, ils ont pu s'enrichir sans perdre leurs âmes[10].»

L'association de l'argent avec la grâce divine donne lieu à l'idée moderne que la quête et l'accumulation de l'argent peuvent assurer le bonheur. Cette illusion est le moteur principal de l'économie capitaliste. On voit ici un autre exemple des liens qui unissent l'histoire du puritanisme à celle du capitalisme.

Cependant, ce qui m'intéresse surtout n'est pas tant l'aspect social du protestantisme que son aspect psychologique, ce qui se passe dans l'esprit et l'âme du puritain. La suprématie de la conscience individuelle en matière religieuse explique le culte de l'individualisme que l'on note à toutes les époques de l'histoire américaine.

Tawney établit une relation entre l'individualisme des puritains et le refus de la société d'accepter la responsabilité des démunis. Tout ce qui compte, c'est l'individu. S'il ne sait assumer ses propres responsabilités, c'est sa faute et il mérite la

misère qui en résulte: «L'individualisme dans la
religion a conduit insensiblement, mais non sans
raison logique, à une morale individualiste et la
morale individualiste a conduit à une perte d'importance de la signification de la structure sociale
par rapport à l'individu[11].»

L'individualisme américain s'exprime de la
manière la plus éloquente dans les œuvres des philosophes transcendantalistes du XIXe siècle, surtout
celles de Ralph Waldo Emerson (1803-1882) et de
Henry David Thoreau (1817-1862). Les deux ont
beaucoup de points communs: ils sont issus de
vieilles familles bostonniennes, ils ont fait leurs études à Harvard, ils sont libres penseurs et ils s'oppo-
sent à l'esclavage des Noirs. Toutefois, plusieurs
traits les distinguent: Emerson publie beaucoup aux
États-Unis et en Grande-Bretagne, donne des conférences des deux côtés de l'Atlantique, est l'ami
d'écrivains anglais célèbres, comme Thomas Car-
lyle, et habite une grande maison à Concord près de
Boston. Thoreau, par contre, vit plus modestement.
Il passe deux ans dans une cabane isolée près de
Walden Pond, sur un terrain qui appartient à
Emerson. Il travaille aussi comme homme à tout
faire dans la maison d'Emerson à Concord. Il est
vrai qu'il publie et donne des conférences, mais
beaucoup moins qu'Emerson. Il fait un certain effort
pour éloigner ses admirateurs. Thoreau effectue
plusieurs voyages qui donnent lieu à des récits,
dont un au Québec qu'il relate dans *A Yankee in
Canada*.

L'individualisme d'Emerson en matière religieuse se reflète surtout dans le discours qu'il pro-
nonce à la Harvard Divinity School en 1838. Ses

propos provoquent un tel scandale qu'il n'est plus invité à Harvard pendant trente ans. Dans son hérésie, il confond l'identité de l'individu avec celle de Dieu: «Dans la mesure où un homme est juste dans son cœur, il est Dieu[12].» Emerson adopte la division du monde en deux parties si chère aux puritains: les élus et les non-élus. Pour lui, il s'agit de la dichotomie entre les bons et les mauvais: soit on est bon, soit on est mauvais. «Les bons, dit-il, recherchent les bons par affinité, comme les mauvais recherchent les mauvais. C'est ainsi que les âmes vont au ciel ou en enfer selon leur propre volonté[13].» Une idée équivalente au XXe siècle voudrait que les riches choisissent d'être riches et que les pauvres choisissent d'être pauvres.

Emerson prétend que Jésus partage son idée que Dieu se manifeste dans chaque homme: «Jésus a vu que Dieu s'incarne dans l'homme, et il possède le monde toujours de nouveau. Il a déclaré dans une manifestation d'émotion sublime: "Je suis divin. Dieu agit et parle en moi. Si tu veux voir Dieu, regarde-moi, ou regarde-toi lorsque tu penses comme moi, maintenant, je pense[14]."» Évidemment, il s'agit ici d'une hérésie pour les chrétiens de pensée traditionnelle. C'est en même temps une célébration de l'individualisme poussé à l'extrême: chaque homme (je dis «homme», et non pas «homme ou femme» parce que les écrivains de l'époque parlent ainsi) peut incorporer Dieu, peut décider pour lui-même ce qui est vrai et bon, peut même remplacer Jésus dans sa propre cosmogonie.

Emerson exige que l'homme n'écoute que le Dieu qui se trouve en lui: «Obéis à toi-même. Ce qui montre Dieu en moi me fortifie. Ce qui montre que

Dieu se trouve à l'extérieur de moi me réduit à une verrue et à un kyste[15].» Il prévoit en quelque sorte le marasme spirituel des États-Unis à la fin du deuxième millénaire: «Quelle pire calamité peut arriver à une nation que la perte de sa religion? Alors, tout dépérit[16].»

La *Divinity School Address* d'Emerson exalte l'individualisme dans un cadre qui touche profondément les Américains: il déclare que chaque homme peut connaître Dieu de la même manière que Jésus L'a connu. Ses compatriotes sont scandalisés par la nature blasphématoire de cette idée, mais, en même temps, ils se vouent entièrement à un individualisme sans bornes dans leur quête de l'argent.

L'essai d'Emerson intitulé *Self-Reliance* (1841) réaffirme sa confiance dans l'individu comme juge suprême de son monde et de sa propre vie. Ce que l'individu pense constitue la seule vérité qui compte: «Croire votre propre pensée, croire que ce qui est vrai pour vous dans votre cœur est vrai pour tous les hommes — c'est cela le génie[17].» C'est dans la solitude que l'homme entend le mieux sa propre conscience, sa propre sagesse. Afin de vivre pleinement, l'homme doit être un non-conformiste, voire un excentrique. S'il écoute ce qui est unique chez lui, l'individu devient de plus en plus original. Cette originalité exige du courage. Emerson déclare: «Celui qui veut être un homme doit être un non-conformiste. Rien n'est plus sacré que l'intégrité de notre propre esprit [...]. Aucune autre loi ne peut être sacrée pour moi que celle de ma propre nature[18].»

L'individu doit se fier à son propre instinct en toute chose. Il est naturel que son instinct évolue.

Ses actions paraîtront inconséquentes, mais c'est
bien ainsi, ajoute Emerson, expliquant qu'«une uni-
formité stupide est le propre de petits esprits[19]».
C'est la révolte totale contre l'obéissance des fidèles
à l'église. Aucun prêtre ne peut dicter aux fidèles ce
qui est bon ou mauvais. Cette tâche revient toujours
à l'individu.

Emerson appartient à la tradition des pasteurs
puritains qui méprisent l'argent. Il pense que la possession matérielle encombre l'âme: «Un homme cul-
tivé a honte de ses biens, il a honte de ce qu'il possède, dans un nouveau respect pour son être[20].»
Nous voyons ici un exemple de l'opposition philo-
sophique au matérialisme, opposition qui existe en
Amérique depuis le début même de la colonie du
Massachusetts et qui s'étend jusqu'à l'idéalisme des
hippies, des révolutionnaires et des décrocheurs de
notre époque. La crise spirituelle des Américains
vient du fait que leurs voix sont étouffées par le
bruit assourdissant de la machine capitaliste.

Les États-Unis qu'Emerson a connus étaient un
jeune pays. Il espérait que son pays serait différent et
même meilleur que les vieux pays d'Europe. Il sou-
haitait une philosophie, une littérature, un art proprement américains. C'est lui qui a découvert Walt
Whitman, premier poète vraiment moderne de cette
civilisation. Il fait les louanges de Whitman, ce qui
lui vaut le mépris de ses proches qui sont scandalisés autant par la personne excentrique de Whitman
que par sa poésie innovatrice. L'espoir d'Emerson
dans son nouveau pays se traduit surtout par son
espoir dans l'individu américain qui, en se fiant à
lui-même, créera une nouvelle civilisation où seront
résolus les problèmes de l'ancienne civilisation euro-

péenne. Vivra en Amérique une nouvelle race d'hommes qui sera supérieure précisément parce que chaque individu saura qu'il est Dieu.

Le représentant émersonien parfait est Henry David Thoreau. Il cherche la vérité dans la solitude de la forêt. Il dit dans son récit *Walden, or Life in the Woods*:

> Je suis allé dans les bois parce que je voulais vivre sans précipitation, faire face uniquement aux faits essentiels de la vie et voir si je pouvais apprendre ce qu'elle avait à m'enseigner afin de ne pas découvrir au moment de ma mort que je n'avais pas vécu. [...] Je voulais vivre intensément et goûter tout le suc de la vie, vivre hardiment et en spartiate afin d'éliminer tout ce qui n'était pas la vie, pousser la vie dans ses derniers retranchements et la réduire à ses conditions minimales[21].

Thoreau rejette totalement le matérialisme de ses compatriotes. Comme Emerson et les pasteurs puritains du XVIIe siècle, il croit que l'homme devient esclave de ses possessions. Il exalte la pauvreté, car elle est en réalité une source de richesse spirituelle: «Dans la mesure où un homme simplifie sa vie, les lois de l'univers paraissent moins complexes. La solitude ne sera pas la solitude, ni la pauvreté la pauvreté, ni la faiblesse la faiblesse[22].»

L'antimatérialisme et le non-conformisme de Thoreau ont fait de lui un héros de ma génération de contestataires. En effet, il est le seul philosophe américain du passé qu'ont reconnu la plupart des hippies des années soixante. L'aspect de la pensée de Thoreau qui a attiré le plus les opposants à la guerre du Viêt-nam est sa philosophie de résistance passive aux politiques immorales du gouvernement.

Son essai *Resistance to Civil Government* (1849), intitulé aussi *Civil Disobedience*, a inspiré également le Mahātmā Gandhi et Martin Luther King fils. Dans un certain sens, on peut remercier Thoreau pour le démembrement de l'Empire britannique, car c'est de lui que Gandhi a appris la méthode de désobéissance civile qui aboutira à l'élimination de la présence britannique en Inde et, par la suite, dans les autres colonies anglaises du monde entier.

Thoreau écrit son essai sur la désobéissance civile après un séjour dans la prison de Concord où il est incarcéré pour avoir refusé de payer sa capitation, cela en guise de protestation contre la guerre du Mexique et contre l'esclavage. Il craint que les nouvelles terres acquises par les États-Unis pendant leur guerre d'agression contre le Mexique ne deviennent des États où l'esclavage serait permis. L'individualisme de Thoreau est extrême; selon lui, un homme qui habite un pays injuste ne peut avoir une bonne conscience s'il reste en liberté en dehors des prisons: «Sous un gouvernement qui emprisonne des individus injustement, le meilleur endroit pour un homme juste est aussi une prison[23].» C'est précisément ce qu'il dit à son ami Emerson qui lui rend visite en prison et qui lui demande: «Qu'est-ce que tu fais là-dedans, Henry?» Et Thoreau de répondre: «Et qu'est-ce que tu fais à l'extérieur, Ralph?»

Thoreau est le premier philosophe américain à réclamer une révolution contre le gouvernement américain à cause de ses actes injustes. Il est ainsi le précurseur des militants du mouvement antiguerre et du mouvement Black Power des années soixante. Il affirme sans ambages: «Lorsque le sixième de la population d'une nation qui prétend être le refuge de la liberté sont des esclaves et qu'un pays entier est dévasté et conquis par une armée étrangère et soumis à la loi martiale, je crois qu'il n'est pas trop tôt pour que les honnêtes hommes se révoltent et fassent la révolution. Ce qui rend ce devoir plus urgent est le fait que le pays dévasté ne soit pas le nôtre et que l'armée des envahisseurs soit la nôtre[24].»

Lorsque Thoreau est en prison, il se sent plus libre que jamais, plus libre aussi que ses compatriotes qui se trouvent à l'extérieur de la prison. Il sait que la vraie liberté est celle de la pensée et que le fait d'enfermer son corps dans une cage ne fait qu'accentuer son indépendance d'esprit. À ce moment, il découvre ce que les Juifs diront à Auschwitz un siècle plus tard: «*Unsere Gedanken sind frei.*» (Nos pensées sont libres). Jean-Paul Sartre aboutit à la même conclusion pendant l'occupation nazie de Paris; il dit qu'il n'a jamais été aussi libre dans sa vie qu'à ce moment-là, car son manque de liberté physique accentuait sa liberté métaphysique. Thoreau dit: «J'ai vu que, s'il y avait un mur de pierre entre moi et les habitants de ma ville, il y avait un autre mur encore plus difficile à franchir ou à briser pour qu'ils puissent être aussi libres que moi. J'ai vu que l'État était à demi idiot, et j'ai perdu le peu de respect qu'il me restait à son endroit. Je ressentais de la pitié pour lui[25].»

Selon Thoreau, l'individu est plus important que l'État. La seule raison d'être de l'État est de protéger et de servir l'individu. L'individualisme de la tradition puritaine devient ici une philosophie politique qui restera dans la conscience américaine jusqu'à nos jours. Thoreau déclare: «Il n'y aura jamais d'État vraiment libre et éclairé à moins que celui-ci ne reconnaisse l'individu comme une valeur plus élevée et indépendante, de laquelle toute sa puissance et toute son autorité sont dérivées et qu'il ne le traite en conséquence[26].»

L'une des raisons ayant motivé ma fuite des États-Unis était mon refus de payer des impôts au gouvernement américain. La moitié du budget du gouvernement fédéral est destinée au ministère de la Défense (de la prétendue défense; défense contre qui, me suis-je toujours demandé, les paysans vietnamiens? les Somaliens?). Chaque habitant des États-Unis paie en moyenne 1150 $ par année pour le budget du Pentagone, qui était de 286,6 milliards en 1992. Un pacifiste ne doit pas donner un sou aux manœuvres belliqueuses de la nation la plus impérialiste de l'histoire. Cette attitude que j'ai adoptée est conséquente à ma lecture de Thoreau et à la tradition de désobéissance civile dont il est le fondateur.

Le fait de vivre toujours à l'étranger m'a permis d'éviter de payer des impôts américains. Pourtant, j'avais l'habitude curieuse de remplir mes déclarations de revenus américaines chaque année, ne fût-ce que pour prouver que je ne devais rien à Washington. Cet exercice de patriotisme à rebours a très bien marché pendant une vingtaine d'années. Puis, en 1990, le Internal Revenue Service m'a envoyé une lettre me disant que je devais payer la somme de 1000 $, sans plus d'explication. J'ai téléphoné à Washington pour faire valoir qu'il s'agissait sans doute d'une erreur, étant donné que j'avais toujours un *foreign tax credit* pour les impôts que je paie au Canada, lesquels sont supérieurs à ceux que

j'aurais dû payer aux États-Unis. Mon raisonne-
ment a convaincu mon interlocuteur. Je lui ai demandé s'il pouvait informer son ordinateur de l'er-
reur afin que je ne reçoive plus de demande de
paiement. Malheureusement, la réponse a été néga-
tive. L'être humain n'a pas le droit de donner des
ordres à une machine. J'ai donc continué de recevoir
des avertissements relatifs à mon délit. Tout à coup,
j'ai eu une inspiration. J'ai écrit au Internal Revenue
Service pour l'aviser que Robert Dôle n'habitait
plus à Chicoutimi, qu'il avait déménagé en Pologne
et que sa nouvelle adresse était: 321 ulica Gówno,
Warszawa, Polska. Ma stratégie a été une réussite. Je
ne reçois plus d'avis et, une fois par mois, les travailleurs du bureau de poste de Varsovie ont droit à
un bon fou rire, car l'adresse se traduit ainsi: 321, rue
de la Merde.

❏

Selon mon hypothèse, le caractère intangible de
la relation directe de l'individu avec son Dieu que
l'on trouve chez les puritains du XVIIᵉ siècle constitue le noyau du culte américain de l'individualisme
et des libertés individuelles. Quel est donc l'état de
cet individualisme au XXᵉ siècle?

Si l'on demandait à un Américain ordinaire de
préciser le rôle principal de son pays dans l'histoire
mondiale, il répondrait sans doute qu'il consiste à
assurer la liberté, surtout la liberté individuelle, en
particulier la liberté d'expression comme celle de la
religion. Cette profession de foi quant à la mission
de protéger la liberté partout dans le monde témoigne de la première leçon que les élèves américains

apprennent à l'école et qu'ils répètent chaque matin en récitant leur *Pledge of Allegiance*. On apprend à ces enfants que les États-Unis sont une nation qui garantit «la liberté et la justice pour tous».

L'idée est reprise par tous les médias et de toutes les façons possibles. Si, par exemple, un Américain voit le film *Philadelphia*, il sort du cinéma convaincu de nouveau que le gouvernement américain assure la liberté et la justice à tous les Américains, y compris les sidéens. Les soldats américains, lorsqu'ils sont en guerre, que ce soit au Viêt-nam, en Iraq, en Somalie ou ailleurs, croient sincèrement qu'ils risquent leur vie et même qu'ils détruisent la vie d'autrui pour une seule raison: celle de garantir la liberté des pauvres gens (lesquels ne savent même pas que leur liberté est menacée). En témoigne la lettre qu'un jeune soldat du Midwest a écrite à ses parents, en 1993, juste avant de perdre la vie en Somalie: «J'aime mon pays et tout ce qu'il représente.» Si un soldat russe avait déclaré cela, les Américains auraient dit qu'il était victime d'un lavage de cerveau. On peut se demander comment un Américain qui n'a jamais vu son pays de l'extérieur, sauf dans les champs de bataille de la Somalie, peut savoir ce qu'il représente.

En juin 1993, lors de la remise des diplômes à l'Université Harvard, le général Colin Powell plastronnait et clamait impudemment qu'il avait passé trente-cinq ans à défendre les libertés individuelles un peu partout dans le monde. Tout le monde applaudissait, à quelques exceptions près.

J'ai eu ma première déception en ce qui concerne la réalité de la liberté d'expression aux États-Unis à l'âge de dix-huit ans, en 1964. J'étais alors étudiant à l'école The Phillips Exeter Academy, dans le sud du New Hampshire, *alma mater* des Rockefeller et de John Irving entre autres. Les étudiants de l'Université du New Hampshire, située à une dizaine de kilomètres de notre école, avaient invité deux communistes américains à donner une conférence sur le campus de l'université. Le journal le plus réactionnaire de l'État, *The Manchester Union Leader*, a paniqué devant la possibilité de voir les étudiants devenir des léninistes en écoutant des conférenciers subversifs, et l'Université s'est vue dans l'obligation d'annuler leur visite. Avec la collaboration de quelques amis, j'ai invité les deux communistes à notre école et nolisé des autobus pour transporter les étudiants de l'Université du New Hampshire. À ma connaissance, personne n'est devenu communiste à la suite de cette expérience.

Quelques mois plus tard, j'ai commencé mes études à l'Université Harvard. Au cours de la première semaine, j'ai été convoqué chez le doyen. («Qu'ai-je fait de mal déjà?» me suis-je demandé.) Le doyen m'a annoncé que des agents du FBI voulaient me parler. Et j'ai effectivement reçu la visite de deux agents qui voulaient que je témoigne contre les deux communistes qui avaient parlé à mon école. «Pourquoi?» ai-je demandé. Et eux de répondre: «Parce qu'ils ont prôné la destruction violente du gouvernement américain.» Je savais fort bien que le FBI mentait. C'est ainsi que j'ai appris que la liberté d'expression dont mes compatriotes américains sont si fiers est réservée à ceux qui expriment les opinions de la majorité.

Deux ans plus tard, j'ai reçu de nouveau la visite du FBI, cette fois-là parce que j'avais participé

à une réunion de protestation contre la guerre du
Viêt-nam à la Arlington Street Church de Boston.
J'étais parmi les jeunes gens qui brûlaient ou ren-
daient au pasteur leur carte de conscription de l'armée américaine.

J'ai donc commencé très tôt à douter de la
liberté d'expression dans mon pays. Mon étude du
marxisme m'a convaincu que la liberté dont parlent
mes compatriotes consiste surtout dans la liberté
des riches d'exploiter les pauvres. J'ai lu récemment
(mai 1995) dans *Spare Change*, journal des sans-abri
de Boston, ce commentaire pertinent: «Le sens commun nous dit que la liberté d'expression n'a aucune
signification pour les chômeurs, les affamés et les
sans-abri.»

Pendant la guerre du Viêt-nam, ce sont les mul-
timillionnaires qui ont gagné le plus d'argent grâce
aux contrats que leur donnait le Pentagone. Les pro-
priétaires de Dow Chemical, fabricants de napalm,
devenaient de plus en plus riches chaque fois que
les soldats américains mutilaient et tuaient les paysans vietnamiens avec leur produit.

Le cauchemar du napalm peut paraître comme
de l'histoire ancienne, mais, dans mon esprit, la
vraie histoire américaine s'est terminée en 1968, au
moment où j'ai quitté le pays. Dans l'actualité ré-
cente, la question des armes est fréquemment soule-
vée. Ce sont évidemment les riches manufacturiers
d'armes à feu qui accroissent leur fortune chaque
fois qu'ils vendent un pistolet, normalement à quelqu'un de beaucoup plus pauvre. Juste quelques statistiques: 200 millions d'armes à feu sont en circula-
tion aux États-Unis; 36 000 personnes sont tuées
chaque année par les armes à feu; on trouve 31 fois

plus de magasins d'armes à feu que de restaurants McDonald's aux États-Unis (selon le sénateur Lloyd Bentsen); pour un jeune Noir de Los Angeles, la probabilité d'être tué est plus grande que celle de faire des études universitaires. Certains disent que les Blancs continuent à vendre des armes simplement parce qu'ils veulent que les Noirs s'entretuent.

La liberté d'expression dont les Américains se vantent est celle des classes dominantes. Ce sont ces dernières qui mènent les opinions de la société, qui possèdent les journaux et les chaînes de télévision. Les pauvres, pour la plupart, ne veulent même pas voter. Seulement 37 % des Américains qui avaient le droit de voter ont effectivement voté aux élections de novembre 1994. Le Parti républicain croit triompher, alors qu'il n'a le vote que de 20 % de la population. Il est donc évident que le gouvernement américain ne représente pas le peuple américain.

De toute manière, beaucoup de pauvres ne savent pas lire. Un tiers des Américains sont analphabètes (*functionally illiterate*, comme on les désigne). Il serait tentant de conclure que les analphabètes représentent une proportion importante de ceux qui ne votent pas. Même s'ils votaient, comment sauraient-ils que la gauche représente leurs intérêts mieux que la droite?

J'ai passé quinze des vingt-deux ans de ma vie aux États-Unis près des bidonvilles des Noirs, voire à leur centre, d'abord à Washington, la capitale fédérale, puis plus tard à Cambridge, Massachusetts. Je me suis rendu compte dès mon plus jeune âge que le concept de liberté éveillait chez les Noirs une vision de l'au-delà. C'est souvent le sens de leurs chants religieux. On trouvera, par exemple, les paroles suivantes sur la pierre tombale de Martin Luther King fils: «*Free at last, free at last, thank God almighty. I'm free at last.*» (Enfin libre, enfin libre, c'est grâce à toi, Dieu tout-puissant que je suis enfin libre.)

Au demeurant, l'individualisme américain n'est pas limité à la question des libertés individuelles: il pénètre tous les aspects du système socioéconomique. Il explique la compétitivité et l'agressivité du comportement américain. Dans le *Melting Pot*, là où les traditions des différents groupes ethniques disparaissent, une seule règle prévaut, celle de la quête et de l'accumulation de l'argent. Le désir de l'argent croît avec la publicité, omniprésente, qui suscite chez les Américains, surtout les plus démunis, le désir d'acquérir toutes sortes de choses dont ils n'ont pas vraiment besoin. Frustrés parce qu'ils n'ont pas les moyens de s'acheter les objets que vante la publicité, ils ont recours au crime pour se procurer l'argent nécessaire. Les bourgeois vivent dans un *rat-race* (métro-boulot-dodo) perpétuel qui devient de plus en plus dangereux avec l'augmentation de la criminalité. Les Américains construisent actuellement plus de prisons que d'écoles. Un million cinq cent mille Américains se trouvent actuellement en prison.

L'impossibilité d'obtenir tout l'argent dont ils rêvent et la menace permanente de crime violent entraînent un stress insupportable chez les Américains d'aujourd'hui. À ce stress-là il faut ajouter celui de la compétitivité et celui de la recherche du succès dont il sera question dans un chapitre subséquent. Pour faire face à cette pléthore de tensions différentes, des forces psychologiques surhumaines sont requises. Personnellement, je ne connais personne aux États-Unis qui possède de tels pouvoirs. En effet, tous mes amis américains sans aucune exception ont senti le besoin, à un moment ou à un autre, de consulter un psychiatre, un psychologue, un conseiller ou une combinaison de ces professionnels, pour des périodes qui trop souvent couvrent une grande partie de leur vie. Selon des statistiques récentes, 8 % des Américains consomment des Prozac, le célèbre antidépresseur.

Voilà ce qui en est de l'individualisme aux États-Unis à la fin du XXe siècle. Une chose demeure certaine, il remonte à la tradition puritaine de l'individu laissé tout seul face à son Dieu et à son sort.

1. Perry Miller, *The New England Mind: The Seventeenth Century*, Boston, Beacon Press, 1961, p. 297.
2. R. H. Tawney, *Religion and the Rise of Capitalism*, New York, Mentor, 1954, p. 189.
3. Perry Miller, ouvr. cité, p. 458.
4. Nine Baym et autres (dir.), *The Norton Anthology of American Literature*, New York, W. W. Norton, 1989, p. 92.
5. *Ibid.*, p. 71.
6. R. H. Tawney, ouvr. cité, p. 210.
7. Max Weber, *L'éthique protestante et l'esprit du capitalisme*, Paris, Plon, 1964, p. 54.
8. Perry Miller, ouvr. cité, p. 472.
9. *Ibid.*, p. 473.
10. *Ibid.*, p. 481.
11. R. H. Tawney, ouvr. cité, p. 211.
12. Nine Baym et autres (dir.), ouvr. cité, p. 426.
13. *Ibid.*
14. *Ibid.*, p. 428.
15. *Ibid.*, p. 429.
16. *Ibid.*, p. 434.
17. *Ibid.*, p. 437.

18. *Ibid.*, p. 439.
19. *Ibid.*, p. 442.
20. *Ibid.*, p. 453.
21. *Ibid.*, p. 775-776.
22. *Ibid.*, p. 820.
23. *Ibid.*, p. 720.
24. *Ibid.*, p. 715-716.
25. *Ibid.*, p. 722-723.
26. *Ibid.*, p. 728.

CHAPITRE II

Les élus et les non-élus

> Je serai votre Dieu,
> Et vous serez mon peuple.
>
> LÉVITIQUE, XXVI, 12

Les puritains du XVIIᵉ siècle pensaient et disaient qu'ils étaient le peuple élu de Dieu, la nation sur laquelle Il répandait sa grâce divine et qu'Il avait choisie pour servir de modèle à tous les autres pays du monde. Ce peuple remplaçait Israël dans le rôle que lui reconnaît l'Ancien Testament. Encore aujourd'hui, cette foi persiste avec toute sa force originale dans l'esprit des Américains. Boston sera la Nouvelle Jérusalem. Chaque année, le State Department fait venir aux États-Unis des milliers d'étrangers, surtout des pays en voie de développement, pour qu'ils puissent admirer les institutions américaines et les adopter comme modèles pour leurs pays respectifs. Dans l'esprit américain, il n'existe absolument aucun lien entre les institutions politiques du pays, d'origine quasi divine, et les énormes problèmes sociaux qui bouleversent le pays tout entier.

Les puritains voulaient que la Nouvelle-Angle-terre soit telle «que le monde puisse voir un spéci-men de ce qui sera sur toute la terre dans les temps glorieux qui sont attendus […] que, par la grâce de Dieu, nous puissions atteindre ce que les autres nations n'ont pas atteint jusqu'ici[1]». Peter Bulkeley écrit à propos des gens de la Nouvelle-Angleterre: «Comme une ville sur une colline, à la vue de toute la terre, les yeux du monde sont fixés sur nous, parce que nous déclarons que nous sommes un peuple qui avons une entente avec Dieu. Notre rôle est de nous comporter d'une telle manière que toutes les nations puissent dire: "Seul ce peuple est un peuple sage, saint et béni[2]."» William Stoughton exprime très clairement les liens directs qui unissent les puritains à Dieu: «Les promesses et les attentes du Seigneur ont désigné la Nouvelle-Angleterre et tous les hommes parmi nous pour être au-dessus de toutes les nations et de tous les peuples du mon-de[3].»

Les textes du XVIIe siècle contiennent plusieurs mentions de la condition de peuple élu: «les élus», «le peuple de Dieu», «le peuple du Christ», «ces sol-dats du Christ», «les saints visibles». Mes parents appelaient l'État du Massachusetts *God's country* (le pays de Dieu), de la même manière que l'on appelle le Québec «la belle province».

Cette idée de supériorité par rapport aux autres nations explique dans une large mesure les aspects impérialistes de la politique extérieure des États-Unis. L'analyse marxiste de l'impérialisme capita-liste est certes juste: avec seulement 5,6 % de la population mondiale et 50 % de la richesse de la planète, les Américains sont prêts à tout pour maintenir leur pouvoir économique. Pourtant, ce n'est pas cette réalité économique que laisse transparaître le discours des politiciens américains. Elle n'habite pas non plus les pensées des jeunes Américains qui sont appelés à risquer leur vie dans les conflits internationaux. Ce qui compte pour les politiciens et les soldats, c'est la supériorité des valeurs américaines, du mode de vie américain. La preuve de cette supériorité vient de ce que Dieu Lui-même a donné aux États-Unis leur vocation messianique.

L'État revêt un caractère religieux dans l'esprit puritain. Puisque l'État est ordonné par Dieu, la loyauté envers l'État devient une expression de foi religieuse. Troeltsch le remarque aussi: «Le protestantisme considérait l'État comme une institution religieuse et pensait que son but était la protection de la communauté chrétienne et de la loi morale[4].» C'est précisément la conviction qu'ils sont le peuple élu de Dieu qui procure aux Américains le sentiment de devoir jouer le rôle de gendarme mondial. Cela fait partie de la tradition du *White Man's Burden* (fardeau de l'homme blanc), que les Britanniques ont légué aux Américains. On est dans l'obligation d'imposer sa culture à d'autres peuples parce qu'elle est la préférée de Dieu. Cette mentalité explique la justification morale que les Américains avançaient lorsqu'ils envahissaient leurs voisins dans les guerres d'expansion: le Canada en 1812, le Mexique en 1848, les colonies espagnoles en 1898. C'était, bien sûr, le même argument pendant la guerre du Viêt-nam.

La guerre contre l'Iraq fut une orgie de chauvinisme, un paroxysme de la célébration du statut du peuple élu. L'ennemi n'est ni chrétien ni juif. Les politiciens et la presse évitent le motif économique: la menace de la perte du pétrole au Koweït. On appelle le Koweït «une démocratie», bien que le vote soit limité à une minorité de la gente masculine. Pendant cette guerre, les Américains portent des rubans jaunes, les affichent sur les portes de leurs maisons, sur leurs voitures: ils indiquent qu'ils appuient les soldats qui tuent les civils irakiens, eux-mêmes impuissants face à leur dictateur.

La presse américaine ne pose pas la question d'une politique équitable au Moyen-Orient. On attaque l'Iraq au moment où il déborde ses frontières. Pourtant, cela fait plus de vingt-sept ans qu'on permet à Israël d'occuper illégalement des territoires de l'Égypte, de la Syrie, du Liban, de la Jordanie, et ce malgré les résolutions des Nations unies.

Les Américains aiment penser que les étrangers les apprécient pour leurs interventions internationales. Le lendemain du dernier bombardement de Bagdad, alors que des rumeurs circulaient selon lesquelles la vie de l'ancien président Bush était menacée, une vieille Américaine me dit: «Notre politique au Moyen-Orient est fondée sur l'altruisme.» Son commentaire me rappelle une Israélienne rencontrée à un colloque international qui avait lieu en Grèce en 1990 et qui avait annoncé sans ambages à des personnes de nationalités diverses, en langue française: «Je n'aime pas les Américains.» Elle ignorait qu'il se trouvait un Américain parmi ses interlocuteurs. Si cette femme représente une opinion populaire en Israël, et que les Israéliens typiques n'aiment pas les Américains, personne ne les aime. Israël est certainement le pays que les États-Unis soutiennent le plus fidèlement. On n'a aucune idée du nombre de milliards de dollars qui sont transférés chaque année des États-Unis à Israël.

Je n'entrevois qu'une seule solution pour débarrasser les États-Unis de leur triste vocation messianique dans les affaires internationales, et ce serait de confier ce rôle aux Nations unies. Le but de cet organisme n'est-il pas de résoudre les conflits internationaux? Le gouvernement américain pourrait commencer par respecter les résolutions des Nations unies dont il a fait fi jusqu'ici. Je pense entre autres à celle qui demande aux États-Unis de lever leur embargo dirigé contre Cuba. Les États-Unis devraient aussi payer leur dette de plusieurs milliards de dollars envers les Nations unies, selon le secrétaire général Boutros Boutros-Ghali[5].

L'idée de peuple élu persiste, toujours aussi forte, dans l'esprit de la quasi-totalité des Américains. Je me souviens de ma surprise lorsque j'ai entendu un communiste américain avancer que l'attrait universel de la culture populaire américaine était une preuve de plus de la supériorité de la nation américaine. Chaque matin, tous les écoliers des États-Unis répètent les mots en récitant leur *Pledge of Allegiance*: *One nation, under God* (une nation sous Dieu). Sur chaque billet de banque, on trouve les mots *In God we trust* (Nous avons confiance en Dieu). On ne peut s'empêcher d'établir une analogie avec un slogan qui avait cours il y a cinquante ans en Allemagne: *Gott mit uns* (Dieu avec nous).

Les Timothy McVeigh et congénères de l'extrême droite américaine illustrent la tragédie du mythe américain. Leur défaut consiste précisément à croire sincèrement tout ce qu'ils ont appris à l'école primaire, c'est-à-dire que les institutions politiques américaines et la Constitution de ce pays sont d'inspiration divine. Les Founding Fathers étaient de stature surhumaine. S'ils ont dit voilà deux cents ans que les hommes avaient le droit de porter des armes à feu, c'est devenu une vérité éternelle, même si 36 000 Américains perdent la vie chaque année comme sacrifice sur l'autel du patriotisme aveugle.

L'appartenance à la nation américaine est une source de consolation pour les Américains. Quoi qu'il arrive de désastreux dans leur vie personnelle et collective, ils se réjouissent de faire partie du peuple élu. Ils déploient leur drapeau national dans leur chambre à l'hôpital ou à la résidence pour personnes âgées. Comme si le drapeau servait de visa pour entrer directement au ciel. Il remplace le crucifix. Le drapeau s'exhibe un peu partout: dans les cimetières, dans les magasins, dans les jardins, dans les maisons, sur les pare-brise des voitures, sur les vêtements. Il remonte le moral et il protège.

La théologienne anglaise Karen Armstrong souligne le rôle religieux des symboles du peuple élu aux États-Unis, même chez ceux qui ne croient pas en Dieu: «Beaucoup d'Américains qui ne croient plus en Dieu acceptent l'éthique puritaine du travail et la doctrine calviniste de la prédestination et la grâce, se considérant comme une "nation élue" dont le drapeau et les idéaux ont une raison d'être semi-divine[6].»

Le discours des politiciens fait souvent référence à cette qualité de peuple élu. Le président Clinton dit au Congrès: «Les États-Unis sont le meilleur pays au monde», et tout le monde applaudit.

Moi qui suis originaire de la ville de Washington, je vois tout de suite le paradoxe: Clinton affirme la grandeur du peuple américain au centre de la ville qui détient le taux d'homicides le plus élevé du monde actuel sinon de l'histoire universelle (450 homicides par année pour une population de 600 000 habitants; la Communauté urbaine de Montréal, ville deux fois plus populeuse, a enregistré 73 cas d'homicide en 1993).

Or un peuple ne peut être élu que par rapport aux autres peuples. Autrement dit, les États-Unis sont supérieurs parce que les autres pays sont inférieurs. Les puritains sont le peuple de Dieu parce que les autres ne le sont pas. Toutefois, à l'intérieur de la nation américaine, il existe un autre genre de peuple élu, une tradition qui remonte au XVIIe siècle. En effet, les puritains pensaient que les «régénérés» (ceux qui vivaient dans la grâce divine) constituaient les vrais élus, les élus parmi les élus. Mais il était difficile, voire impossible, de déterminer exactement qui possédait cette qualité. Cependant, il était clair que les hérétiques tels que les quakers et les anabaptistes ne l'avaient pas. Tous les autres, s'ils n'étaient pas vraiment élus, faisaient au moins semblant de l'être.

La doctrine de la prédestination par la grâce divine marque surtout le XVIIe siècle. Au XVIIIe siècle, la nature religieuse de la société de la Nouvelle-Angleterre cède sa place aux intérêts commerciaux. C'est le début du capitalisme américain et de la conquête de la planète. L'enthousiasme commercial éclipse alors la ferveur religieuse, tellement que les autorités ecclésiastiques se voient dans l'obligation de modifier les règlements pour l'adhésion à l'Église. La définition de la notion d'élu se déplace subtilement: les nouveaux élus sont les riches et les non-élus, les pauvres. Dans la mentalité de la Nouvelle-Angleterre, la condition d'homme riche est un don de Dieu, elle se confond avec celle de l'homme touché par la grâce. La grâce intérieure se matérialise et s'extériorise: on peut voir qui est riche, qui est pauvre. On mesure la valeur de l'homme d'après sa fortune. La superficialité des Américains qui frappe souvent les Européens trouve ici sa source.

Déjà au XVIIe siècle, cette nouvelle définition de l'homme élu se manifeste. Le gouverneur John Winthrop (1588-1649) commence son *Model of Christian Charity* en disant: «Dieu tout-puissant, dans sa providence sainte et sage, a fait la condition humaine telle que, dans tous les temps, certains doivent être riches et d'autres pauvres, certains munis de pouvoir et de dignité, d'autre humbles et soumis[7].» Les riches ne peuvent être les élus en l'absence de pauvres par rapport auxquels ils sont visiblement supérieurs.

Ce phénomène explique en quelque sorte le rejet total par les Américains riches de toute forme de socialisme. Ils jugent normal que 50 % de la richesse appartienne à 1 % de la population. La pauvreté est instituée par Dieu afin de punir les non-élus. En juin 1993, j'assistais à mes retrouvailles de vingt-cinq ans à Harvard. Devant les portes du campus, des centaines de sans-abri dormaient ou mendiaient. À l'intérieur, le recteur quémandait lui aussi, priant les diplômés de donner encore plus d'argent à l'Université qui est pourtant la plus riche du monde (ma promotion, celle de 1968, a répondu en versant 7,5 millions de dollars cette année-là). J'ai réfléchi: Quel pourcentage de cette somme paierait la construction des abris pour les démunis qui étaient là, à côté de nous?

Le fossé qui sépare les riches des pauvres s'agrandit. L'économiste John Kenneth Galbraith révèle l'étendue de ce phénomène: «En 1980, les P.-D. G. des 300 plus grandes firmes américaines gagnaient 29 fois plus que l'ouvrier moyen. Dix ans plus tard, les revenus de ces hauts responsables étaient 93 fois supérieurs à celui de ce même ouvrier. Pendant ces dix ans, le revenu du salarié américain moyen a légèrement baissé[8].»

Pendant les années 1977-1990, 99 % des Américains sont devenus plus pauvres tandis que les plus riches, qui constituent 1 % de la population, ont augmenté leur richesse de 110 %. On peut qualifier ces derniers d'oligarques ou de ploutocrates et tous les autres de serfs. Les serfs ne pensent pas à se libérer des oligarques parce que les Américains croient que les riches sont bons, suivant la tradition puritaine. Dans presque tous les autres pays du monde, même en Angleterre, une pensée traditionnelle a cours qui veut que les riches soient probablement de mauvaises gens. On s'imagine le contraire aux États-Unis.

Par exemple, les Américains ne demandent pas à qui profite la dette nationale. En 1992, celle-ci atteignait 4 064 600 000 000 $ et les intérêts payés sur cette dette s'élevaient à 292 300 000 000 $. Dans quelles poches va tout cet argent? L'avenir du peuple américain est hypothéqué afin de permettre aux oligarques, aux capitalistes, aux investisseurs de Wall Street de remplir leurs coffres. Pourquoi les serfs ne pensent-ils pas à adopter une loi qui imposerait une richesse maximale, disons un million de dollars, par individu, afin de liquider cette dette? La réponse est simple: les oligarques sont le vrai peuple élu, ils ont obtenu leurs privilèges par la grâce divine; il est donc interdit aux serfs de remettre en question leur fortune.

La définition d'homme élu se transforme encore une fois au XXe siècle. Les élus ne sont plus les riches, mais plutôt les *successful*. Ce déplacement tient à ce qu'on a compris qu'un homme pouvait être riche et en même temps mener une vie «misérable» qui suscite la pitié. Il existe en effet des millions d'Américains qui ont hérité de vastes fortunes et qui, dans plusieurs cas, ne travaillent pas du tout, n'ont aucune formation universitaire, passent leur vie dans les institutions psychiatriques ou découvrent le paradis dans l'alcool ou la cocaïne. Malgré leur richesse, ils ne figurent sans doute pas parmi les élus.

Déjà au XVIIe siècle, les puritains croyaient que la réussite, comme toute bonne chose, était un don de Dieu. Par conséquent, ceux qui réussissaient témoignaient de la grâce divine et de leur appartenance au groupe des élus. Urian Oakes (1631-1681) exprimait cette idée ainsi: «Le négociant peut faire du commerce et des projets d'une manière rationnelle, mais il ne deviendra pas riche, à moins que Dieu ne lui donne le succès[9].»

En quoi consiste la réussite pour un Américain? Poursuivre des études avancées dans ce qu'on considère comme une bonne université, détenir un bon emploi, gagner beaucoup d'argent par ses propres moyens, être respecté par ses collègues et ses voisins, avoir une vie sexuelle active. Dans l'esprit des Américains, la réussite est quelque chose de tangible, aussi mesurable que l'argent. Encore une fois, on voit que les Américains ne veulent pas aller au-delà des apparences dans leur jugement sur la valeur d'une vie.

L'obsession de la réussite chez les Américains frappe les étrangers. La Chilienne Isabel Allende le remarque dans *El plan infinito*: «L'échec et la réussite n'existent pas, ils ont été inventés par les Américains[10].» Les Américains, semble-t-il ont eu besoin d'un nouveau standard pour déterminer qui fait partie des élus, ceux des siècles précédents étant tombés en désuétude.

Le mouvement féministe américain a introduit encore une autre vision de la prédestination: élues sont les femmes et les non-élus, les hommes. Il s'agit certainement d'une réaction des femmes à la société patriarcale traditionnelle qui reconnaissait aux hommes la qualité de peuple élu par rapport aux femmes non élues. Selon les féministes, les femmes sont supérieures parce qu'elles sont incapables de violer et parce qu'elles ont été les victimes silencieuses des abus des hommes pendant trop de siècles. Ainsi, une nouvelle vogue apparaît parmi les intellectuels américains qui consiste à afficher sa condition de victime: plus on est victime, plus on a de chances d'appartenir aux nouveaux élus.

Certaines féministes ont tendance à exploiter des stéréotypes, notamment celui du «bon» et du «méchant» (*the good guys and the bad guys*, comme disent les enfants), d'où l'affirmation que toute femme est bonne et tout homme est mauvais. Aussi simpliste soit-elle, une telle attitude dérive certainement de la tradition puritaine qui divisait toute l'espèce humaine en deux groupes opposés: les élus contre les non-élus. Marilyn French, une féministe de cette école, affirme: «Pendant que les hommes se pavanent et se tourmentent une heure sur scène, qu'ils hurlent dans les bars et les pavillons sportifs et qu'ils font exploser des armements invraisemblables dans leur quête interminable de réussite et de reconnaissance personnelles, en recherchant une preuve symbolique de leur supériorité, les femmes continuent à faire tourner le monde[11].» Je ne conteste pas le bien-fondé des revendications féministes, et je dois aussi avouer que je m'efforce d'éviter le type d'hommes qui correspondent à la description de la gente masculine offerte par French.

La haine des hommes engendre un mépris général de la civilisation chez certaines féministes. French, par exemple, semble rejeter les classiques grecs, hébreux et latins parce qu'ils sont le fruit d'une culture patriarcale. Elle affirme: «Comme *L'Iliade* et *L'Énéide*, l'Ancien Testament constitue un exemple d'excellente littérature qui met l'accent sur la guerre, la domination masculine et le meurtre [des ennemis — mais les "ennemis" existent partout] plutôt que sur la compassion et la tolérance[12].» Il me semble qu'elle a fait une lecture très superficielle de l'Ancien Testament. Son interprétation ne correspond en rien à la mienne. Si les féministes veulent rejeter tout ce qui a été produit dans une culture dominée par les hommes, elles devront rejeter notre civilisation tout entière.

Des féministes m'ont souvent dit que je ne peux comprendre ce qu'est une femme parce que je suis un homme. M'est-il vraiment impossible de comprendre les Québécois parce que je suis un Américain, ou bien de comprendre les auteurs du xixe siècle parce que je suis un homme du xxe? Si tel est le cas, l'ensemble des études humanistes n'aurait plus aucune valeur. Nous en serions réduits au ici et maintenant!

Quoi qu'il en soit, et pour en revenir à certaines pratiques féministes et féminisantes, je dois dire que, après une dizaine d'années de patience face à la féminisation, ou la désexualisation des messages, je commence à perdre patience. S'exprimer en tenant compte des deux sexes alourdit la langue. Imaginons: «Il y eut une discussion entre Québécois et Québécoises, d'une part, et Canadiens et Canadiennes de l'autre. Dans le public se trouvaient des Américains, Américaines, Mexicains, Mexicaines, Cubains et Cubaines». Le seul message que de telles répétitions transmet est que le locuteur est au courant du mouvement féministe et de ses revendications. C'est une mode qui va disparaître. Si la langue devait refléter le niveau des connaissances culturelles et scientifiques du locuteur en toutes choses, il faudrait dire, par exemple: «Le soleil fait semblant de se lever» ou bien «Il semble que le soleil se lève», au lieu de «Le soleil se lève», car la révolution copernicienne, vieille de cinq cents ans, nous a appris que le soleil ne se lève ni ne se couche. Il est simplement plus facile de dire que le soleil se lève, et l'être humain adopte normalement les pratiques qui sont les plus faciles.

Marilyn French et d'autres féministes sont désillusionnées face à la culture américaine d'aujourd'hui. Dans leur déception, elles rejoignent maints autres intellectuels américains. Selon French, les États-Unis ont probablement le taux de viols le plus élevé du monde[13]. L'amertume des féministes américaines à l'égard des hommes est très prononcée en ce qui concerne les relations intimes entre les deux sexes. French dit : «La culture américaine, dans les films, les livres, les chansons et à la télévision, enseigne aux hommes à se regarder comme des tueurs et à identifier le meurtre et le sexe, l'acte sexuel et la conquête violente. C'est pourquoi tant d'hommes ont de la difficulté à distinguer entre le viol et l'amour[14].»

L'animosité que ressentent les féministes américaines envers les hommes confirme deux idées fondamentales du présent essai. Premièrement, la tendance puritaine à diviser le monde entre élus et non-élus est toujours à l'œuvre. Deuxièmement, une société dans laquelle les relations sexuelles sont devenues un champ de bataille est certes malade, malheureuse et malsaine. La mentalité puritaine, qui a soutenu l'expansion capitaliste des États-Unis, provoquera le déclin du pays par le pourrissement social et psychologique qu'elle a engendré.

Les plus grandes victimes de l'histoire américaine sont certainement les Noirs. Les racistes se considèrent comme le peuple élu par rapport aux Noirs. Les mormons, par exemple, l'ont pendant longtemps affirmé de manière explicite. Ils prétendaient que les Noirs étaient les descendants de Cham dont Noé maudit le fils en disant qu'il serait «le dernier des esclaves» (Genèse, IX, 25) parce que Cham n'avait pas couvert la nudité de son père Noé. La Genèse ne précise pas que la famille de Cham devint la race noire, mais cela importe peu. Les mormons ont interdit la prêtrise aux Noirs, sous prétexte qu'ils étaient les descendants de Cham, jusqu'en 1980, au moment où Dieu, sous la pression des groupes de défense des droits civils aux États-Unis, a changé d'idée.

La misère qu'ont vécue les Noirs dans l'histoire des États-Unis est bien connue. Bien qu'il existe une vaste littérature sur le sujet, je me permettrai de faire état de mes propres souvenirs d'enfance, enfance passée dans le Sud. Je me rappelle la dégradation, la misère, l'oppression, l'exploitation des Noirs. Elles étaient tangibles, palpables. Elles sautaient aux yeux, même aux yeux d'un enfant. Je me souviens des toilettes séparées pour les hommes blancs et les hommes noirs, les femmes blanches et les femmes noires. Je me souviens des deux fontaines d'eau, côte à côte, l'une marquée «*For whites*», l'autre, «*For colored*». Je vois toujours les affiches à l'entrée des restaurants indiquant que les Noirs n'y étaient pas admis. Il leur était défendu de s'asseoir dans un autobus s'il n'y avait pas assez de place pour les Blancs. Les Noirs étaient relégués au *nigger heaven* dans les salles de spectacle, c'est-à-dire les dernières rangées du dernier balcon. Au moment où les écoles furent intégrées pour la première fois, en 1953, en vertu d'une décision de la Cour suprême, j'étais en troisième année du primaire dans le District of Columbia. Les adultes pensaient que l'intégration serait une catastrophe et que les élèves noirs se battraient avec les Blancs. Mais tout s'est passé dans le calme, et je me suis épris de ma première maîtresse d'école noire, Miss Carol.

Une ségrégation *de facto* des races continue d'être pratiquée aux États-Unis. J'ai assisté avec mon fils aux matchs sportifs à Boston au début des années quatre-vingt-dix, au Boston Garden et à Fenway Park. Parmi les 14 000 spectateurs les visages noirs étaient aussi rares que les perles dans une boîte d'huîtres. J'ai souvent pensé que les Blancs s'opposaient à l'assurance-maladie universelle surtout parce qu'ils ont peur de se trouver à côté des Noirs dans les hôpitaux. Les élus font tout ce qu'ils peuvent pour se distancier des non-élus.

Les puritains ne sont plus là, mais leur conception des élus et des non-élus persiste, malgré toutes sortes d'avatars. Il faut qu'un Américain vive à l'étranger pendant des années pour s'apercevoir de la persistance de cette conception.

1. Perry Miller, *The New England Mind: The Seventeenth Century*, Boston, Beacon Press, 1961, p. 469.
2. *Ibid.*, p. 470.
3. Perry Miller (dir.), *The American Puritans: Their Prose and Poetry*, New York, Anchor Books, 1956, p. 113-114.
4. Ernst Troeltsch, *Protestantism and Progress*, Boston, Beacon Press, 1958, p. 106.
5. Entrevue à l'émission *Le Point*, Société Radio-Canada, 22 août 1994.
6. Karen Armstrong, *A History of God*, New York, Alfred A. Knopf, 1993, p. 279.
7. Nine Baym et autres (dir.), *The Norton Anthology of American Literature*, New York, W. W. Norton, 1989, p. 22.
8. *L'Actualité*, 15 décembre 1993, p. 86.
9. Perry Miller (dir.), *The American Puritans: Their Prose and Poetry*, ouvr. cité, p. 208.
10. Isabel Allende, *El plan infinito*, Barcelone, Plaza y Janes, 1991, p. 301.
11. Marilyn French, *The War Against Women*, New York, Ballantine, 1992, p. 99.
12. *Ibid.*, p. 60.
13. *Ibid.*, p. 191.
14. *Ibid.*, p. 176.

CHAPITRE III

La cruauté

Un surveillant a dit à un visiteur de sa plantation que quelques Nègres ne permettent pas
qu'un Blanc les fouette et résistent lorsqu'on
essaie de les fouetter; dans ce cas, évidemment, il faut les tuer.

HOWARD ZINN

La cruauté joue un rôle primordial dans l'histoire américaine depuis l'ère puritaine jusqu'à nos
jours. Plus la cruauté est vue comme étant un châti-
ment divin, plus elle est sournoise, insidieuse. L'individu confie la tâche d'administrer les punitions
les plus cruelles à l'État, représentant de Dieu, et
ainsi se trouve innocent. Les tortures que fait subir
le peuple élu à ceux qui vivent dans les ténèbres
sont requises par la nature même de l'homme
déchu. Si une nation n'est pas prête à suivre l'exemple américain, elle mérite que ses citoyens tombent
sous les bombardements.

La cruauté des puritains nous semble aujour-
d'hui particulièrement exagérée, surtout lorsqu'on
pense à ces personnes qui, accusées de sorcellerie,
ont été pendues. Pourtant, selon moi, cette cruauté

est moins grave que le meurtre de milliers de civils qui tombent sous les bombes américaines. En effet, la personne soupçonnée de sorcellerie a eu l'occasion de se défendre avant son exécution, ce qui ne fut pas le cas des victimes anonymes de Hiroshima, du Viêt-nam, de la Libye, de l'Iraq. À vrai dire, il n'est pas très convenable de comparer le degré d'horreur de différents actes de cruauté. Il reste que les lynchages de Noirs devraient se trouver dans les premières lignes d'une liste qui pourrait être longue.

Dans les trois cas mentionnés, il s'agit chaque fois de la tentative du peuple élu d'affirmer sa supériorité par rapport au peuple non élu: les détenteurs de la grâce contre les sorcières séduites par le diable, les Américains contre les non-Américains, les Blancs contre les Noirs.

La cruauté des puritains se manifeste dès le départ du *Mayflower* en 1620. La plupart des Américains ignorent que les puritains constituaient une minorité des voyageurs. Les «aventuriers» étaient plus nombreux. C'étaient de jeunes gens qui voulaient venir en Amérique simplement pour le plaisir de l'aventure, pour vivre parmi les «sauvages» sur un continent mystérieux. L'un d'entre eux se moqua des puritains et exprima le désir de les voir mourir avant l'arrivée en Amérique. Sa cruauté fut cependant moindre que celle des puritains au moment où le jeune aventurier mourut. Les puritains se réjouissent et font preuve d'un exemple classique de *Schadenfreude*. Le commentaire de William Bradford (1590-1657), premier gouverneur de la Plymouth Plantation, fut le suivant: «Il plut à Dieu, avant qu'ils aient traversé la moitié de l'océan, de frapper ce jeune homme d'une maladie grave, qui entraîna sa mort après une agonie terrible. C'est lui, donc, qu'on jeta le premier à la mer. Ainsi, ses malédictions étaient retombées sur sa propre tête et ses compagnons s'émerveillaient, car ils voyaient que c'était l'œuvre de la main juste de Dieu[1]». Il est bien que le Dieu des élus tue un non-élu.

Il s'agit de cette même mentalité qui inspire aujourd'hui ceux qui assassinent les employés des cliniques d'avortements. Le nombre des victimes s'élève déjà à 150. Les disciples du mouvement anti-avortement se donnent la qualité d'élus face aux non-élus qui pratiquent les avortements et qui méritent donc de trouver la mort.

Dans *The Scarlet Letter* (*La lettre écarlate*), roman classique de la vie puritaine du XVIIe siècle, Nathaniel Hawthorne relate un incident typique de la cruauté des puritains. L'héroïne, Hester Prynne, tombe enceinte pendant que son mari est toujours en Angleterre et refuse de dévoiler le nom du père, car il s'agit du pasteur du village. Elle est condamnée à porter un A écarlate sur sa robe pour le reste de ses jours. Cette lettre signifie «adultère». Elle est bannie par la communauté et doit vivre seule avec son enfant au bord de la forêt. Son époux revient de l'Angleterre et réussit à retracer l'homme coupable. Le pasteur fait une confession publique et meurt dans les bras de Hester. Dans cette histoire combien romantique, nous voyons que la cruauté extrême est l'œuvre des membres du peuple élu, sans tache, et que leurs victimes sont ceux qui pèchent, soit les non-élus.

William Bradford, premier gouverneur de Plymouth, rapporte l'histoire extraordinaire d'un jeune homme nommé Thomas Granger qui est condamné à mort pour bestialité avec «une jument, une vache, deux chèvres, cinq moutons, deux veaux et une dinde[2]». La punition va même au-delà de la prescription de l'Ancien Testament (Lévitique, XX, 15): les animaux avec lesquels il a eu des relations sexuelles sont tués devant lui et enterrés sans que personne ne puisse en obtenir du cuir ou de la viande. Ensuite, le coupable est exécuté. Bradford a du mal à accepter que de tels crimes soient commis dans la Nouvelle-Angleterre où le royaume de Dieu doit régner en toute suprématie. Il se console, car le jeune homme confesse que sa perversion a commencé dans la vieille Angleterre déchue.

Autre exemple de la cruauté des puritains du XVIIe siècle, mais cette fois d'un tout autre ordre: l'histoire de la jeune Mary Bumstead, ancêtre de ma mère. Lorsqu'elle n'avait que trois ans, la pauvre enfant tomba du balcon de l'église pendant le service religieux. Le pasteur invita tout de suite les fidèles à prier. L'objet de leurs prières n'était pourtant pas la santé, voire la survie, de l'enfant, mais plutôt qu'il plût à Dieu que son sang ne souille pas l'église.

L'incident le plus extraordinaire dans l'histoire de la cruauté des puritains est sans doute les procès des sorcières à Salem. Des centaines de personnes sont accusées et 19 sont pendues. La désormais célèbre «chasse aux sorcières» débute avec la publication en 1684 de la diatribe d'Increase Mather intitulée *Illustrious Providences*. Dans ce pamphlet, il avertit les fidèles qu'ils devraient rechercher des preuves «de sorcellerie, de possessions diaboliques et des châtiments remarquables infligés à des pécheurs notoires[3]».

La punition des sorcières est moins sévère si elles font une confession publique. Les pauvres femmes racontent alors n'importe quoi afin de sauver leur vie. Mary Osgood, par exemple, admet en 1692: «J'ai été emportée dans l'air, voici deux ans, jusqu'à un étang où le diable m'a baptisée en mettant ma tête dans l'eau et en m'obligeant à renoncer à mon premier baptême[4].» Le peuple élu ne met pas en doute la véracité de cette histoire d'envol aérien et de communication avec le diable, et Mary est sauvée.

La sorcellerie n'est pas limitée aux femmes. Giles Corey, à l'âge de quatre-vingts ans, refuse de confesser qu'il est sorcier. Pour son mutisme, il est écrasé sous de lourdes pierres.

Le peuple élu est aussi cruel envers les Noirs qu'envers les sorcières. Michel Jean de Crèvecœur, alias J. Hector Saint-John, un Franco-Américain, relate dans *Letters from an American Farmer* (1782; en traduction, *Lettres d'un cultivateur américain*, 1784) l'histoire d'un Noir qu'il trouve mourant dans une cage: «J'ai vu un Nègre, suspendu dans une cage, et laissé là pour mourir. Je frissonne d'horreur quand je me rappelle que les oiseaux avaient déjà dévoré ses yeux et que ses joues étaient déchiquetées. [...] Dans son dialecte vulgaire, il m'a demandé de lui donner de l'eau pour apaiser sa soif [...]. "Depuis combien de temps es-tu pendu ici?" lui ai-je demandé. "Deux jours et moi pas mourir; les oiseaux, les oiseaux, pauvre de moi[5]!"»

Au XXe siècle, les descendants des puritains poursuivent la tradition de cruauté aux dépens des peuples non élus. Attachons-nous à six cas en particulier: la peine capitale, le bombardement de grandes villes, le massacre de My Lai, les embargos navals, la pauvreté et, finalement, les peines de prison excessives.

De plus en plus d'États font usage de la peine capitale. Environ 2600 Américains attendent d'être exécutés dans les prisons des États-Unis. Cependant, le nombre réel d'exécutions par an n'est que d'une trentaine. L'écart si grand entre les deux chiffres est dû au fait que les condamnés à mort passent des années à faire appel. Les sommes investies dans ces causes sont plus importantes que ce qu'il en coûterait pour garder en vie le prisonnier concerné jusqu'à sa mort naturelle. Première illusion de ceux qui défendent la peine de mort.

La deuxième illusion est que la possibilité de faire face à une sentence de mort dissuade les criminels éventuels. Depuis que la peine de mort a été restaurée en 1977, le nombre de crimes passibles de la peine capitale a crû de manière dramatique: au cours des douze dernières année, il a augmenté de 168 %.

La peine capitale est sans aucun doute une forme de torture. Elle ne sert à rien, si ce n'est qu'à perpétuer la tradition de cruauté si chère aux puritains, une manière d'affirmer son appartenance au peuple élu en détruisant ceux qui en sont exclus. Il est temps que la classe dirigeante, le peuple élu, reconnaisse que c'est elle qui est responsable du marasme social actuel dans lequel le crime et la violence sont inévitables.

Le bombardement des grandes villes, mon deuxième exemple de cruauté, a commencé pendant la Seconde Guerre mondiale. Plus de 200 000 civils ont perdu la vie lors de l'explosion de la bombe atomique à Hiroshima. La tradition continuera au Viêt-nam, où les Américains tueront trois millions de Vietnamiens. La quantité de bombes larguées par les Américains sur le Viêt-nam dépasse la quantité de bombes qui sont tombées sur l'Europe et l'Asie pendant toute la durée de la Seconde Guerre mondiale. On ignore combien de civils irakiens sont morts pendant la guerre de 1991. Le bombardement des civils soulève des questions d'éthique très graves. Est-ce qu'un pays a le droit de tuer les civils d'un autre pays afin de persuader leurs dirigeants qu'ils doivent changer de politique? A-t-on le droit de demander à un soldat de tuer des innocents depuis son avion si on n'est pas capable soi-même de tuer la victime face à face?

Le massacre anonyme de civils est devenu une spécialité des États-Unis. À ma connaissance, c'est le seul pays qui s'y livre d'une manière assez régulière depuis cinquante ans. Deux hypothèses pourraient expliquer l'insensibilité des Américains à l'égard de leurs victimes à l'étranger. Selon la première, les Américains sont incapables d'imaginer l'horreur de mourir sous un bombardement aérien pour la simple raison qu'ils n'ont jamais vécu une expérience pareille chez eux. La deuxième hypothèse renvoie au thème principal du présent livre: la destruction gratuite des peuples non élus est une manière sinistre de confirmer sa propre appartenance au peuple élu.

Le massacre de My Lai, un autre exemple frappant de la cruauté américaine, illustre les vices puritains chez les coupables ainsi que chez leurs admirateurs demeurant aux États-Unis. Le 16 mars 1968, une compagnie de soldats américains sous les ordres du lieutenant William Calley entre dans le hameau de My Lai, dans la province de Quang Ngai, au Viêt-nam. Les Américains perdent la tête, sortent de leurs gonds, poussent 347 paysans vietnamiens, des vieillards, des femmes, des enfants, tout le hameau, dans un fossé et les mitraillent. Voici le témoignage du soldat James Dursi:

> Le lieutenant Calley et un fusilier appelé Paul D. Meadlo qui pleurait — le même soldat qui a donné des bonbons aux enfants avant de les tuer — ont poussé les prisonniers dans un fossé […]. Le lieutenant Calley a donné l'ordre de fusiller, je ne me souviens pas des mots exacts — quelque chose comme «Commencez à fusiller». Meadlo s'est adressé à moi et m'a dit: «Pourquoi tu ne fusilles pas?» Il pleurait. J'ai dit: «Je ne peux pas. Je refuse.»

> Puis le lieutenant Calley et Meadlo ont dirigé leurs fusils dans le fossé et ont tiré. Les gens se tassaient les uns contre les autres. Les mères essayaient de protéger leurs enfants[6].

Un autre raconte: «Après le massacre, deux soldats ne pouvaient pas manger parce que quelques Vietnamiens dans le tas vivaient encore et gémissaient. Des soldats se sont levés et se sont approchés du tas. "On les a finis", a déclaré l'un d'eux[7].»

La destruction de villages entiers faisait partie de la politique officielle de l'armée américaine. Le général Westmoreland d'expliquer: «À quelques occasions, nous étions obligés de raser des villages ou des hameaux évacués […] de déplacer les villageois et de détruire le village[8].»

Le lieutenant Calley devint un héros américain, l'un des rares héros de cette guerre la plus meurtrière de l'histoire américaine, à une exception près, celle de la guerre de Sécession. Quinze mille Américains écrivirent au président Nixon afin d'exprimer leur sympathie, voire leur admiration, à l'égard du lieutenant. Soixante-huit pour cent des répondants à un sondage du *Times* ont déclaré n'avoir pas été troublés par l'histoire du massacre. Un vétéran de la guerre du Viêt-nam, habitant de la Caroline du Sud, défendit Calley ainsi:

> On doit imposer une amende de deux dollars à Calley, lui donner une cartouche de cigarettes, le promouvoir au rang de capitaine et lui donner un poste au Pentagone [...]. Charlie Cong n'est pas un soldat conventionnel, mais plutôt une vieille femme édentée, un vieillard à la barbiche, ou un petit garçon qui pose des mines. Le lieutenant Calley et ses hommes ont simplement fait leur devoir — rester vivants dans la guerre des hommes riches et la bataille des hommes pauvres[9].

En fait, beaucoup de protestants convaincus croyaient qu'il était tout à fait justifié d'éliminer les communistes[10].

Le lieutenant se vit infliger une peine d'emprisonnement à vie, mais fut libéré après trois ans. Sa cruauté et l'admiration qu'il a suscitée chez ses compatriotes constituent un paroxysme des vices puritains. Les Américains ont cru de leur devoir de tuer les civils vietnamiens pour la simple et bonne raison que ces derniers font partie des peuples non élus, des non-Américains, des déchus. Et qui plus est, ils en retirèrent du plaisir. L'acte de tuer devient donc une affirmation de sa propre appartenance au peuple élu, un signe que l'on est choisi par Dieu pour être supérieur aux autres.

Le massacre a tout de même déclenché un certain scandale aux États-Unis, bien qu'il n'ait été que de courte durée. L'hypocrisie typique des puritains! Les Américains approuvent le massacre des non-élus à la condition qu'il soit propre, que les instruments de meurtre soient anonymes, que la mort tombe des avions qui disparaissent sans que les pilotes aient à voir leurs victimes. Si l'État tue, soit par des bombes, soit par une chaise électrique, soit par la vente d'armes à feu dans les villes américaines, la mort paraît aux Américains justifiable sinon souhaitable.

La cruauté du peuple américain s'exprime aussi dans les embargos que le gouvernement impose aux petits pays qui n'ont pas les moyens de se défendre. Qu'il s'agisse de Cuba, du Viêt-nam, de Haïti ou de l'Irak, l'effet des embargos est toujours de conduire la population à la famine. Le gouvernement américain prétend que de tels embargos pourront précipiter la chute du régime au pouvoir. L'histoire démontre le contraire. Dans un État totalitaire comme Cuba, le dictateur maintient son pouvoir à tout prix. Les pauvres gens qui habitent Cuba n'ont pas la possibilité de renverser le régime castriste, même, et d'autant plus, si on les prive de l'essentiel. Ainsi, ce sont ces pauvres gens, et non leurs gouvernants, qui souffrent de la faim provoquée par le gouvernement américain. Ce sont eux qui sont malades ou qui deviennent aveugles par suite d'un manque de vitamines. La situation a été pire au Viêt-nam: les Américains ont d'abord éliminé des milliers de civils par les armes; ensuite, ils ont essayé d'anéantir les survivants par la famine, en imposant leur embargo.

La situation est pareille à Haïti, dernière victime d'un embargo. Les riches militaires qui ont la haute main sur le pays s'enrichissent davantage tandis que les démunis qui sont parmi les plus pauvres habitants de la planète, souffrent encore plus. Selon le *Times*:

> Cinq mois après le début de l'embargo, les militaires sont toujours au pouvoir [...]. Ce sont les pauvres, déjà les plus démunis de l'hémisphère occidental, qui souffrent le plus. L'augmentation des coûts de transport en est responsable. Le prix des aliments a doublé, ce qui a rendu inaccessibles beaucoup de produits de base tels que le riz, les haricots et l'huile. [...] Entre temps, les militaires sont devenus encore plus riches et plus puissants: ils régissent maintenant les monopoles de l'État tels que l'électricité, le téléphone et les installations portuaires. «Les militaires se sont probablement donné des hernies en riant et en se moquant de l'embargo», affirme un officier de secours courroucé[11].

Mais qu'importe la souffrance humaine causée par les embargos puisque les victimes n'appartiennent pas au peuple élu. Elles ne sont ni américaines, ni riches.

Selon Noam Chomsky, les États-Unis sont en train de devenir un pays du tiers-monde, car une portion toujours plus importante de la population vit dans la pauvreté, une autre forme de cruauté. Ainsi, 15 % des habitants n'ont aucune assurance médicale; 30 % n'ont pas une assurance médicale adéquate; 33 % sont analphabètes (*functionally illiterate*); 36 % n'ont pas terminé leurs études secondaires. En 1991, 14,2 % des Américains vivaient sous le seuil de pauvreté établi par le gouvernement fédéral. Par contre, ils ne constituaient que 11,4 % de la nation en 1978. Cette tendance confirme le pessimisme de Chomsky. Quarante-trois pour cent des sans-abri sont des familles[12]. Dix-sept pour cent des diplômés des écoles secondaires chôment. Le taux de chômage est de 7 % dans la population totale et de 13 % chez les Noirs.

Depuis quelques années, le nombre de sans-abri croît d'une manière ahurissante. Dans une ville américaine, le visiteur les trouve un peu partout: dans les parcs, dans les gares, couchés sur les trottoirs, mendiant dans les rues, poussant des paniers de supermarché remplis de tous leurs biens, portant des habits d'hiver en été, manquant de vêtements en hiver, parlant à des êtres imaginaires, délirant sous l'influence de l'alcool ou bien du crack. Personne ne connaît leur nombre exact, mais on croit qu'ils sont plus de trois millions, soit environ 1 % de la population américaine[13]. Sept pour cent de la population américaine a été sans abri à un moment ou à un autre.

La cruauté américaine à l'égard des sans-abri prend trois formes: une grave insuffisance d'abris et de logements à prix modique pour les plus démunis de la société; un manque de programmes sociaux adéquats en vue de venir en aide à ceux qui sont aux prises avec des problèmes d'alcoolisme, de toxicomanie et de maladie mentale; enfin, la cruauté du système socioéconomique des États-Unis, face à laquelle la fuite dans l'alcool, les drogues et la maladie mentale est une réponse compréhensible.

Selon le critique social Jonathan Kozol, la principale cause de l'expansion du phénomène de l'errance est le manque d'abris et de logements fournis par l'État. Bien qu'elle soit quelque peu simpliste, comme nous verrons bientôt, cette explication contient néanmoins un élément de vérité.

Il n'existe pas assez d'abris, et ceux qui existent laissent beaucoup à désirer. La qualité de l'accueil est telle que nombre de démunis préfèrent rester dans la rue. Voici ce qu'en dit le bénéficiaire d'un abri public nommé le «Pierce Shelter» de la ville de Washington:

Parfois, il y a une cinquantaine ou une soixantaine d'hommes dans la file, qui attendent d'être admis à l'abri, et la queue fait le tour de l'édifice. Il y a des bousculades, et les gens se battent. Beaucoup d'hommes sont très agressifs parce qu'ils sont toxicomanes ou alcooliques. Au moment où ils entrent à l'abri, ils sont soûls, violents et agressifs. Ils rendent la tâche difficile à un homme qui veut simplement entrer à l'abri. Les gens se mettent en colère. Les agents de sécurité portent des armes et attendent le moment propice pour tirer sur quelqu'un. Je les ai vus pousser des hommes, le pistolet à la tête. Les agents de sécurité disent: «Que personne ne bouge», en dirigeant leurs pistolets sur la foule. J'ai vu les agents de sécurité terrasser des vieillards qui étaient incapables de se défendre. Cela n'avait pas de sens […]. La plupart des hommes emportent un insecticide, parce qu'il y a des poux, des morpions et des punaises partout […]. Si on se couche dans son slip, on se réveille en se grattant […]. Il n'y a qu'une salle de bains: six urinoirs de chaque côté et cinq toilettes toujours remplies d'excréments. Je n'ai jamais pris un bain ou une douche à l'abri Pierce parce que la salle de bains était tellement sale… L'abri est comme une prison. On a la sécurité; les agents de sécurité portent des armes, des .38 Smith et Wessons, des matraques et des menottes, et ils contrôlent tout[14].

Il est permis de se demander comment il se fait que le gouvernement américain, qui est assez riche pour envoyer un homme sur la lune, qui ne néglige aucune dépense quand il s'agit de tuer des Vietnamiens et des Irakiens, n'a pas les moyens d'aménager des abris convenables pour les citoyens les plus pauvres. La négligence du gouvernement américain dans ce domaine est d'autant plus grave qu'il ne subventionne que 10 % des abris actuels, le reste du financement étant assuré par des organismes de charité, habituellement des Églises[15].

Ce qui est pire encore, c'est que l'accès aux abris est souvent refusé à ceux qui en ont le plus besoin, c'est-à-dire les alcooliques, les toxicomanes et les malades mentaux. Dans la ville de Washington, une étude révèle que 68 % des sans-abri ont essayé de se faire admettre à un abri, mais que la majorité d'entre eux a échoué[16]. L'État américain s'engage dans «une procédure interminable dans le choix entre les pauvres qui sont méritants et ceux qui ne le sont pas[17]».

L'idée d'opérer une sélection et de distinguer les pauvres qui méritent de l'aide et ceux qui n'en méritent pas reflète une attitude propre à beaucoup d'Américains, une conception selon laquelle certaines personnes sont pauvres parce qu'elles sont mauvaises: «Les sans-abri ne méritent pas d'aide parce qu'ils sont essentiellement de mauvaises gens… et la société doit donc les abandonner[18].» Ici encore, on voit la tendance des Américains à distinguer entre les élus et les non-élus, même chez les plus démunis de la société. Cela nous rappelle les paroles de John Winthrop au début de l'expérience américaine au XVIIe siècle: «Dieu tout-puissant, dans sa providence sainte et sage, a fait la condition humaine telle que, dans tous les temps, certains doivent être riches et d'autres pauvres, certains munis de pouvoir et de dignité, d'autres humbles et soumis[19].»

Selon Alice Baum et Donald Burnes, il est naïf de croire que la simple construction d'abris et de logements à prix modique puisse résoudre le problème des sans-abri. Ils affirment que le vrai problème réside dans les troubles psychologiques de ces gens-là. Ils constatent que 85 % des sans-abri souffrent de manière chronique d'alcoolisme, de toxicomanie, de maladie mentale ou bien d'une combinaison de deux ou trois de ces facteurs[20]. Ils ne sont donc pas aptes à vivre dans un logement, même s'ils en avaient la possibilité.

Les sans-abri ont besoin de programmes sociaux qui visent leur réhabilitation. Symptôme de la cruauté du système, l'abandon de beaucoup de programmes sociaux par le président Reagan dès son élection en 1980, ce qui a fait la joie des Américains de droite. Un psychiatre new-yorkais déclare: «Plusieurs malades mentaux qui étaient autrefois des patients du Manhattan State Hospital y sont actuellement hébergés en tant que résidents. La différence est qu'aujourd'hui il n'y a pas d'infirmières, de médecins, de médication ou de traitement[21].»

Toujours selon Baum et Burnes, la seule solution efficace au problème des sans-abri consisterait en des programmes de traitement visant à guérir l'alcoolisme, la toxicomanie et la maladie mentale dont souffrent presque tous les vagabonds. Ils rappellent que la classe moyenne profite déjà de tels programmes et prônent leur extension aux pauvres:

> Il nous faut tous accepter les réalités de l'alcoolisme, de la toxicomanie et de la maladie mentale.

[...] L'augmentation rapide du nombre de centres de traitement pour les patients de la classe moyenne indique que les gens peuvent accepter ces réalités lorsque ces maladies affectent la classe moyenne. Il est temps que nous abandonnions nos préjugés à l'égard des autres classes et que nous reconnaissions que ceux qui restent dans la rue et résident dans les abris méritent la même aide et le même traitement[22].

Tout comme Baum et Burnes trouvent naïve l'idée que la solution du problème des sans-abri réside dans la construction d'abris et de logements à prix modique, je trouve naïve leur proposition que des programmes psychiatriques peuvent constituer un remède. Ils ignorent que la société américaine elle-même est malade. Aucun psychiatre n'est en mesure de transformer radicalement le système socioéconomique américain. Toutes les psychothérapies, tous les psychotropes, tous les groupes de soutien ne servent finalement à rien devant l'ampleur du malaise spirituel des Américains, malaise qui est le produit des excès de l'individualisme et du matérialisme inhérents au mode de vie et au capitalisme américains.

Victimes chaque jour du matérialisme débridé, de la violence, de la compétition, de l'hédonisme des riches, du manque de programmes sociaux, du chômage, de la criminalité, de l'ostracisme, du racisme, les Américains devraient être des surhommes pour être capables de résister aux pièges fatals que représentent l'alcool, les drogues, les maladies mentales. Les experts s'accordent pour dire que les malades mentaux constituent le segment de la population qui augmente le plus rapidement[23]. On

se souvient des paroles du poète Ezra Pound:
«Toute l'Amérique est un asile de fous.»

L'aliénation et l'oppression sont les conséquences inévitables du capitalisme, disait Karl Marx. Plus le capitalisme américain avancera sur les chemins tracés au XIXᵉ siècle lorsqu'on parlait de la *survival of the fittest* (la survie du plus apte), plus les Américains moyens décrocheront du système. Il devient de plus en plus normal de ne pas être normal. Un pourcentage de plus en plus élevé du peuple élu déchoira de son statut et rejoindra les non-élus.

La cruauté de la société américaine envers ses pauvres rappelle l'attitude des puritains du XVIIᵉ siècle qui considéraient la pauvreté comme un signe de damnation par Dieu: une personne est pauvre parce qu'elle est mauvaise. Le parlement de Londres adoptait en 1649 une loi qui prévoyait le fouet pour les mendiants. Les vagabonds étaient aussi passibles du fouet, même s'ils ne mendiaient pas, s'ils ne pouvaient expliquer à la police pourquoi ils se trouvaient dans les rues et n'avaient pas d'adresse fixe. Tawney commente ainsi l'attitude puritaine du XVIIᵉ siècle: «Une société qui vénère l'acquisition de la richesse comme étant le bonheur suprême sera inévitablement prédisposée à considérer les pauvres comme des damnés dans le monde à venir afin de justifier le fait qu'elle leur rend la vie infernale dans ce monde-ci[24].» L'attitude de la société puritaine américaine envers ses pauvres nous rappelle les paroles de Jésus: «J'ai eu faim, et vous ne m'avez pas donné à manger.» (Matthieu, XXV, 42.)

Il est certes plus facile de blâmer le gouvernement pour ses politiques concernant la peine capitale, les bombardements de populations civiles et les embargos que de le blâmer pour la pauvreté de ses citoyens. Pourtant, il existe des pays où une telle misère est inconnue. Il suffit de penser à la Suède, à la Hollande, voire aux pays de l'Europe de l'Est avant la chute du socialisme. Si les Américains ont été capables de construire la première bombe atomique, ils devraient avoir la volonté de résoudre les problèmes de la pauvreté.

Les peines d'emprisonnement excessives sont encore une autre caractéristique du peuple américain. Qui n'a pas été scandalisé en 1995 par l'histoire de ce jeune Californien condamné à vingt-cinq ans de détention pour avoir volé une tranche de pizza? Il s'agissait d'appliquer une nouvelle loi préconisée par Clinton qu'on résume ainsi: *Three strikes and you're out* (À la troisième prise, tu es hors jeu). Selon cette loi, une peine de vingt-cinq ans est automatiquement prononcée contre toute personne qui commet un troisième crime, peu importe la nature du crime. Peu d'Américains se sont demandé pourquoi un citoyen du pays le plus riche de l'histoire mondiale était obligé de voler une tranche de pizza afin de survivre.

La même année, un Américain de dix-sept ans, d'origine québécoise, a été condamné par un tribunal de la Floride à la prison à vie sans aucune possibilité de libération. Il était coupable d'avoir été présent sur la scène d'un meurtre. Les larmes aux yeux, il a demandé au juge qu'il lui inflige la peine de mort, ce qui lui a été refusé.

La cruauté du peuple américain ne se limite pas aux politiques de son gouvernement. Il suffit de lire le journal de n'importe quelle ville américaine pour se rendre compte de la désintégration alarmante de la société américaine. Il semblerait que les Américains ne se respectent plus. Ils commettent toutes sortes de crimes à un rythme étourdissant.

Afin de donner un exemple d'une journée typique à Boston, ville fondée par les puritains, je vais résumer quelques articles de la livraison du 29 décembre 1993 du *Boston Globe*:

> Un homme de 38 ans, qui avait été arrêté pendant que sa femme saignait et que ses enfants regardaient, a été accusé hier de l'avoir poignardée à mort.
>
> Quatre jours après son onzième anniversaire, Charles H. Copney fils est mort sur le trottoir à l'extérieur de l'appartement de sa mère dans Roxbury. Il avait été atteint par une balle. Au même moment, Korey Grant, 15 ans, mourait dans les bras de son père, une balle dans la poitrine.
>
> Une infirmière auxiliaire de Medford a été condamnée à une année de liberté conditionnelle pour avoir frotté des excréments sur le visage d'un homme de 85 ans dans la maison de retraite où elle travaillait, selon le bureau de l'avocat du gouvernement.
>
> Un prêtre catholique de Woburn a été inculpé hier d'avoir abusé sexuellement d'un enfant de chœur de 11 ans dans un presbytère, en septembre. Les procureurs du gouvernement prétendent que le prêtre Paul Manning, 53 ans, a touché les parties génitales du garçon au moment où les deux se trouvaient dans le presbytère de l'église St. Charles, le soir du dimanche 5 septembre.»
>
> Deux adolescents de Dorchester et un homme de Mattapan ont été blessés par balles dans une embuscade tôt le matin alors qu'ils se promenaient près d'une intersection dans Dorchester.

La demande d'un nouveau procès d'un homme accusé d'avoir assassiné son amie enceinte en lui tirant à la tête et de l'avoir enterrée dans son sous-sol a été rejetée.

Une audition se tiendra avant le 14 janvier afin de décider si un garçon de 16 ans devrait être jugé en tant qu'adulte pour avoir tué par balle un autre adolescent la veille de Noël.

Elsa Dorfman, photographe bien connue, devra subir un procès demain pour voie de fait sur un policier. Cet incident impliquant des agents de sécurité de Cambridge Hospital s'est produit le 29 septembre.

Une femme qui prétend que l'avocat embauché pour son divorce a abusé sexuellement d'elle a obtenu un montant de 90 000 $ et espère obtenir encore plus le mois prochain.

Toute une récolte pour une seule journée, n'est-ce pas?

La littérature américaine du XXᵉ siècle est le miroir de la cruauté du peuple américain. On n'a qu'à lire des dramaturges comme Tennessee Williams, des poètes comme Allen Ginsberg et des romanciers comme Joyce Carol Oates pour s'en rendre compte. La cruauté et la violence y apparaissent comme les résultats inévitables d'un individualisme et d'un matérialisme sans limites.

La cruauté qui a ses racines dans le comportement puritain va trouver un semblant de remède dans une pratique née de la même tradition. Il s'agit de la confession publique.

1. Nine Baym et autres (dir.), *The Norton Anthology of American Literature*, New York, W. W. Norton, 1989, p. 36.

2. *Ibid.*, p. 46-47.
3. Perry Miller, *The New England Mind: The Seventeenth Century*, Boston, Beacon Press, 1961, p. 230.
4. Richard N. Current, T. Harry Williams et Frank Freidel, *American History: A Survey*, New York, Alfred A. Knopf, 1961, p. 44.
5. J. Hector Saint-John de Crèvecœur, *Letters from an American Farmer*, New York, E. P. Dutton, 1957, p. 167-168.
6. Howard Zinn, *A People's History of the United States*, New York, Harper, 1980, p. 249.
7. Myra MacPherson, *Long Time Passing: Vietnam and the Haunted Generation*, New York, Doubleday, 1984, p. 495.
8. *Ibid.*, p. 495-496.
9. *Ibid.*, p. 500.
10. *Ibid.*, p. 497.
11. *Times*, 21 mars 1994, p. 40.
12. *The Boston Globe*, 11 décembre 1993.
13. Alice S. Baum et Donald W. Burnes, *A Nation in Denial: The Truth about Homelessness*, Boulder, Westview Press, 1993, p. 120.
14. *Ibid.*, p. 57-62.
15. *Ibid.*, p. 169.
16. *Ibid.*, p. 76.
17. *Ibid.*, p. 87.
18. *Ibid.*, p. 172.
19. Nine Baym et autres (dir.), ouvr. cité, p. 22.
20. Alice S. Baum et Donald W. Burnes, ouvr. cité, p. 3.
21. *Ibid.*, p. 23.
22. *Ibid.*, p. 187.
23. *Ibid.*, p. 38.
24. R. H. Tawney, *Religion and the Rise of Capitalism*, New York, Mentor, 1954, p. 222.

CHAPITRE IV

La confession publique

Élève la voix avec force
[...]
Élève-la, ne crains point,
Dis aux villes de Juda:
«Voici votre Dieu!...»

ISAÏE, XL, 9

Les talk-shows de la télévision américaine aussi bien que les groupes de soutien voués à toutes sortes de malheurs dérivent de la tradition de la confession publique qui remonte au XVIIe siècle. Les puritains n'avaient pas cette possibilité qu'ont les catholiques de se confesser en privé à un prêtre-confesseur. La seule manière de se soulager d'une mauvaise conscience était donc la confession publique.

La confession était aussi souvent une profession de foi: on affirmait en public que l'on avait reçu le Saint-Esprit, que sa «régénération» était donc assurée, que l'on faisait partie du peuple élu. Cet aspect de la tradition puritaine de confession publique se maintient aujourd'hui dans les manifestations des *born-again Christians*.

La confession publique des puritains revêtait diverses formes. Il était normal qu'un puritain tienne un journal intime. «Certes, explique Max Weber, l'usage de tenir des journaux religieux dans lesquels péchés, tentations, progrès sur le chemin de la grâce sont enregistrés à la suite, ou inscrits sous forme de tableaux, était commun aux cercles réformés les plus fervents[1].»

Les puritains étaient pour la plupart des gens instruits. Un grand nombre d'entre eux avaient fréquenté l'Université de Cambridge ou, plus tard, l'Université Harvard. Ils avaient la plume facile. L'acte d'écrire était assimilé à la pratique religieuse, surtout si on admettait ses péchés ou bien si on faisait état de ses extases religieuses. Les journaux des puritains sont restés dans les archives des bibliothèques de la Nouvelle-Angleterre, à l'Université Harvard entre autres. Ils sont donc devenus publics sans l'approbation de l'auteur, comme dans le cas du *Personal Narrative* de Jonathan Edwards. D'autres, par contre, étaient destinés à la publication. Tel était le cas, par exemple, de l'autobiographie de Thomas Shepherd.

Les confessions pouvaient aussi prendre la forme de la poésie. Les poètes les plus connus de la vieille Nouvelle-Angleterre sont Anne Bradstreet et Edward Taylor. Leurs poèmes parlent surtout des crises spirituelles des pèlerins chrétiens luttant pour le salut de leur âme. Anne Bradstreet n'avait pas l'intention de publier sa poésie, mais son beau-frère l'a fait publier en Angleterre à son insu.

La confession se faisait parfois aussi verbalement à l'intérieur de l'église. Soit le pénitent parlait lui-même, soit il faisait lire ses regrets par le pasteur.

Cette dernière forme de confession fut celle que choisit Samuel Sewall (1652-1730) qui se repentait d'avoir été l'un des juges aux procès des sorcières de Salem.

Examinons donc quelques expressions publiques de mes ancêtres puritains pour voir jusqu'à quel point leur conscience les troublait. Thomas Shepherd (1605-1649), par exemple, décrit ainsi une fin de semaine typique de sa vie d'étudiant à Harvard: «J'ai tant bu un jour que je suis devenu complètement soûl. C'était un samedi soir. On m'a porté de l'endroit où j'avais bu et mangé à la chambre d'un étudiant, un certain Basset de Christ College. Je ne savais pas où j'étais quand je me suis réveillé dimanche matin et j'étais dégoûté par ma bêtise[2].»

Le *Diary of Samuel Sewall* contient ces paroles de remords: «Par mon inaptitude et manque de grâce [...] j'ai pris la résolution de confesser combien je suis un pécheur misérable [...] je veux accepter le blâme et la honte des procès de sorcières, afin de demander le pardon des hommes et surtout les prières de Dieu[3].»

La poésie d'Edward Taylor (1642-1729) révèle son fardeau de pécheur: «Je dois être précipité de la lumière douce du ciel aux flammes ardentes de l'enfer.» «Mon affaire est mauvaise. Seigneur, sois mon avocat / Mon péché brûle; Dieu a lancé un mandat d'arrêt contre moi.» «Sale, sale, Seigneur, perdu, sans valeur / Tout souillé, que ferai-je, moi, ton serviteur[4]?»

On retrouve des idées semblables dans la poésie d'Anne Bradstreet (1612-1672): «Moi, pèlerin confus sur la terre / Tourmenté par des péchés, des soucis, et des douleurs.» «Je suis haïssable selon toutes les mauvaises langues qui disent qu'une aiguille serait mieux qu'une plume dans ma main[5].»

Le pilori est un autre exemple de la confession publique des puritains du XVIIe siècle. Confession forcée, le pilori constituait la punition la plus courante pour toutes sortes de crimes et d'infractions. Le coupable était exposé en public et la nature de son crime était inscrite au pied du pilori.

La confession publique fait donc partie du comportement américain depuis le début. L'illustration la plus frappante au XXe siècle est le maccarthysme des années cinquante qui s'inscrit parfaitement dans la tradition de la chasse aux sorcières de Salem. Le sénateur Joseph McCarthy et ses disciples accusèrent des centaines d'Américains d'être soit communistes, soit gauchistes. Le fait d'appartenir à une organisation dont un seul des membres était accusé de communisme suffisait pour ruiner la réputation de personnes tout à fait apolitiques. L'hystérie nationale a donné lieu à des spectacles pitoyables de confession publique devant le Congrès des États-Unis. Des milliers de vies ont été brisées au nom de la lutte contre le communisme athée.

Aujourd'hui, la confession publique se présente d'une manière théâtrale dans les talk-shows télévisés. Une personne jusqu'alors inconnue révèle ses secrets les plus intimes à toute la nation américaine. L'animateur lui pose la question: «Pourriez-vous décrire vos réactions au moment où vous avez eu des relations sexuelles pour la première fois avec votre fille de trois ans?» S'ensuit la réponse candide. Le fait de se raconter en public enlève un peu du sentiment de culpabilité à l'égard de ce que l'on a fait en privé.

Autre exemple: l'animateur demande à plusieurs femmes pourquoi elles ont accusé leur gynécologue d'abus sexuel. Elles donnent des réponses précises et détaillées. Ensuite a lieu une entrevue avec le criminel qui se trouve en prison. Lui aussi donne sa version des faits sans aucune pudeur.

Puis voilà qu'une jeune femme de belle allure fait part aux Américains, par le biais de la télévision nationale, des sensations qu'elle a éprouvées en tranchant le pénis de son mari avec un couteau de cuisine. Cette confession ne suffit pas. Elle continue et explicite ses états d'âme au moment où elle jette l'objet du délit (c'est-à-dire le pénis) dans un champ.

Dans un même ordre d'idée, les Américains ont eu droit, le 8 mars 1994, sur la chaîne NBC, à une entrevue avec Geoffrey Dahmer qui a tué 17 garçons à Milwaukee. Il avait aussi démembré plusieurs corps et en avait mangé quelques-uns. C'est l'animateur de l'émission qui aborde les sujets les plus rebutants. «Avez-vous ressenti une excitation sexuelle au moment du démembrement?» demande-t-il avec la naïveté qui fait le charme des Américains. Et encore: «Pourquoi le cannibalisme?» Ce même jour, j'avais lu dans *L'Actualité* ces mots de John Kenneth Galbraith: «Aucun pays au monde ne peut concurrencer les États-Unis dans la production d'émissions de télévision moralement dépravées[6].»

Les Américains perdent le sens de la différence entre la vie privée et la vie publique: la vie privée n'existe plus guère. Je vais dans un magasin aux États-Unis et le commis me demande: «Comment vas-tu?» Me connaît-il? Il pose à un inconnu la même question qu'il poserait à son meilleur ami.

Quand je suis allé à Harvard en juin 1993, je me suis rendu compte que les Américains se demandent les uns les autres, même entre inconnus, quelle est leur orientation sexuelle. On peut dire: «Êtes-vous homosexuel?» avec presque autant de facilité que: «D'où venez-vous?» Cet état de choses me rappelle une Américaine qui m'avait lancé un jour sans ambages: «Combien gagnez-vous?» Chaque fois, j'ai la même réaction, c'est-à-dire: je suis dépaysé. On n'agit pas ainsi au Québec!

En mai 1995, j'ai assisté à un sermon dans une église de la Nouvelle-Angleterre. Dans ce sermon sur le thème de «La maladie mentale et la honte», la pasteure a simplement énuméré la liste très longue de ses parents qui avaient souffert de maladies mentales: sa tante Alice schizophrène, sa fille Marie suicidaire, son oncle John alcoolique, son cousin Bill zoophile. C'était sa manière de démontrer que l'on ne devrait pas avoir honte de la maladie mentale. Son approche était certainement très courageuse et innovatrice, mais, en même temps, je me disais qu'un tel discours serait impensable hors des États-Unis. Voilà un exemple parfait de la tradition de confession publique.

Le *coming out* (la sortie au grand jour) des homosexuels américains appartient à la tradition puritaine de confession publique de type «profession de foi». Acte de courage et d'affirmation de soi, il représente une tentative de faire accepter une orientation personnelle sur la place publique. En quelque sorte, ce geste nie ouvertement que l'orientation sexuelle soit une raison d'exclure l'homosexuel du peuple élu. C'est une revendication de dignité fondamentale et du droit de l'individu de mener sa vie personnelle comme bon lui semble.

Des études psychologiques laissent entendre que l'acceptation et la divulgation de l'homosexualité favorisent la santé mentale. La psychologue Linda Garnets déclare:

> L'adaptation psychologique semble être meilleure parmi les hommes et les femmes qui acceptent leur identité homosexuelle et qui ne cachent pas leur homosexualité aux autres. [...] Ceux qui ont une orientation homosexuelle, mais qui ne l'acceptent pas, qui se sentent obligés de réprimer leurs désirs homosexuels, qui souhaitent devenir hétérosexuels ou qui sont isolés de la communauté homosexuelle peuvent vivre une détresse psychologique très grande, y compris la perte du respect de soi[7].

L'homosexualité a été considérée comme une maladie mentale par l'Association américaine de psychiatres jusqu'en 1973. La psychiatrie confirmait donc les préjugés inhérents au puritanisme américain à l'égard de l'homosexualité. Force est d'admettre que de nombreux Américains ont été victimes de psychiatres qui ont tenté de les guérir de leur orientation homosexuelle. Au lieu de se transformer en hétérosexuels après leurs traitements psychiatriques, beaucoup d'entre eux sont devenus psychotiques ou bien se sont suicidés. C'était une vraie chasse aux sorcières, dans la tradition de Salem au XVIIe siècle.

L'expression *coming out* fait référence à un événement de la vie sociale des riches familles américaines, plus précisément la première sortie en société de la jeune femme. Pour les homosexuels, cette expression a plusieurs connotations. Elle renvoie d'abord à l'acceptation par la personne homosexuelle de son homosexualité. Elle reconnaît qu'elle est homosexuelle. L'étape suivante est celle de la réalisation des désirs homosexuels dans l'acte physique. Suivent les divulgations de son homosexualité à ses parents, à ses amis, à ses collègues, au public en général. Le degré de *coming out* varie donc d'un individu à l'autre[8]. Ceux qui savent être homosexuels, mais qui le cachent, vivent, comme on dit, dans un placard.

La prise de conscience et l'acceptation de l'homosexualité n'ont rien à voir avec la tradition puritaine de la confession publique, car elles existent dans toutes les cultures et à toutes les époques de l'histoire. On peut même trouver l'expression de sentiments homosexuels dans l'Ancien Testament: «Tu m'étais délicieusement cher, dit David à Jonathan, ton amitié m'était plus merveilleuse que l'amour des femmes.» (II Samuel, I, 26.) Pourtant, ce qui est à la fois une nouveauté aux États-Unis et en même temps un vestige de la tradition puritaine de la confession publique est précisément le fait d'étaler son homosexualité devant autrui. Ce phénomène est si proprement américain qu'il n'existe dans aucune autre langue une expression courante équivalente à *coming out*. Il est vrai que les homosexuels d'autres nations révèlent aussi leur homosexualité (on n'a qu'à penser à André Gide, premier écrivain européen qui a dévoilé son homosexualité), mais ils le font beaucoup moins fréquemment que les Américains de notre époque.

Même à l'intérieur de la société américaine, les homosexuels d'origine autre que puritaine (ou européenne) sont beaucoup moins enclins à vivre leur homosexualité ouvertement. Des études révèlent que «des niveaux relativement bas d'aveu aux familles ont été constatés parmi les homosexuels et les lesbiennes d'origine asiatique, afro-américaine et latino-américaine[9]». Même chose chez les Amérindiens: «Les Amérindiens d'aujourd'hui disent qu'ils sont victimes d'une plus grande stigmatisation et qu'ils ont beaucoup de difficulté à s'ouvrir à propos de leur homosexualité[10].» Les différences entre les groupes ethniques en ce qui a trait au désir d'avouer ouvertement son homosexualité confirment l'hypothèse selon laquelle la confession publique est un vestige du puritanisme. Le *outing* des homosexuels en est un autre. Il consiste à révéler contre son gré l'identité homosexuelle d'une personne connue du public. Il s'agit d'une forme de confession publique forcée dans la tradition du pilori.

À écouter parler les Américains typiques, on croirait qu'ils forment une nation, la seule au monde, où personne ne fait l'amour. Les Américains *have sex*, comme ils *have a party*, ou *have a new car*. On ne parle pas de «faire l'amour», probablement parce que les sentiments amoureux font souvent défaut. C'est la «chosification» totale de l'espèce humaine.

Les groupes de soutien de toutes sortes qui se déploient aujourd'hui aux États-Unis constituent une autre manifestation de la tradition puritaine de la confession publique. Si une personne souffre d'un problème psychologique quelconque, elle s'adresse au groupe de soutien approprié. Là, elle peut dire n'importe quoi à n'importe qui et recevoir toute la commisération dont elle a besoin. On trouve dans chaque grande ville américaine une pléthore de groupes de soutien: les groupes pour les alcooliques, les toxicomanes, ceux qui abusent sexuellement des enfants, les victimes d'abus sexuel, ceux qui battent les femmes, les femmes battues, les homosexuels, les époux de lesbiennes, les sadomasochistes, les parents de décrocheurs scolaires, les enfants de patients psychiatriques, les suicidaires, et j'en passe.

Ce que tout le monde ignore, c'est que cette forme de remède fait partie de la tradition puritaine, au même titre que les excès d'individualisme qui sont responsables du malheur généralisé de la nation américaine.

1. Max Weber, *L'éthique protestante et l'esprit du capitalisme*, Paris, Plon, 1964, p. 155.
2. Perry Miller (dir.), *The American Puritans: Their Prose and Poetry*, New York, Anchor Books, 1956, p. 227.
3. Nine Baym et autres (dir.), *The Norton Anthology of American Literature*, New York, W. W. Norton, 1989, p. 101-102.
4. *Ibid.*, p. 91-96.
5. *Ibid.*, p. 51.
6. *L'Actualité*, 15 mars 1994, p. 13.
7. Linda D. Garnets et Douglas C. Kimmel, *Psychological Perspectives on Lesbian and Gay Male Experiences*, New York, Columbia University Press, 1993, p. 582-583.
8. *Ibid.*, p. 195.
9. *Ibid.*, p. 333.
10. *Ibid.*, p. 19.

CHAPITRE V

Le témoignage
de Joyce Carol Oates

> Voici, les nations sont comme une goutte d'un
> seau,
> Elles sont comme de la poussière sur une
> balance.

Isaïe, XL, 15

Les romans de Joyce Carol Oates témoignent de la présence des quatre vestiges de la mentalité puritaine, que j'ai exposés, dans le comportement des Américains à la fin du deuxième millénaire.

L'individualisme sans bornes provoque des excès de violence et de cruauté qui sont typiques de la société américaine d'aujourd'hui. L'œuvre d'Oates peut être considérée comme un tribunal qui juge et condamne la société américaine pour ses innombrables transgressions. L'auteure confirme mon propre pessimisme. Dans les romans d'Oates, les vices de l'héritage puritain sont plus manifestes que ses vertus. Même si l'on admet que le succès des États-Unis dans l'économie mondiale est dû à ces vertus, il reste que les vices sont sans l'ombre d'un doute responsables du déclin général du pays. J'examinerai quatre romans récents de Joyce Carol Oates afin d'y déceler les manifestations de la mentalité américaine telle que je l'ai dépeinte.

American Appetites (1990) s'ouvre sur une description de la dichotomie qui sépare les élus des non-élus et aboutit à un dénouement rendu possible par une confession publique. Ian McCullough et sa femme Glynnis font partie des élus: leur vie bourgeoise est une réussite, ils sont riches, Ian est un *professional*, sa femme écrit des livres de recettes à succès. Sigrid Hunt, par contre, est une non-élue. Elle est pauvre, habite un bidonville *on the wrong side of the tracks*. Les villes américaines sont ainsi divisées: les élus habitent d'un côté du chemin de fer, le bon côté, et les non-élus, de l'autre. Oates exprime ainsi cette démarcation entre élus et non-élus:

> Il y a, enfin, deux groupes sociaux dans nos sociétés, comme à l'époque romaine où il y avait les citoyens romains et les non-romains: ceux dont le nom, l'adresse et le numéro de téléphone sont écrits soigneusement dans nos livres d'adresses et ceux dont le nom, l'adresse et le numéro de téléphone sont griffonnés sur de petits morceaux de papier et insérés d'une manière temporaire dans nos livres d'adresses. L'adresse de Sigrid Hunt était simplement griffonnée sur un bout de papier[1].

Glynnis soupçonne son mari de la tromper avec Sigrid. Dans une scène d'une cruauté intense, elle lui reproche son impuissance chronique, l'accuse d'avoir gâché leur relation avec leur fille, avoue avoir eu des amants, lui dit qu'elle aime encore l'un d'eux, dont elle refuse de révéler le nom, et provoque une lutte violente qui causera sa propre mort. Le procès d'Ian est long et ardu, surtout en raison de l'absence de Sigrid et du refus d'Ian de faire une confession publique. Après une longue période, Sigrid refait surface et se confesse devant le tribunal, ce qui incite Ian à se confier aussi. Il est acquitté et les deux deviennent enfin des amants. Ian est donc content que Glynnis soit morte et Sigrid est admise au sein du peuple élu.

L'héroïne de *Because it is Bitter, and Because it is my Heart* (1990), Iris, doit faire face à deux groupes de non-élus, c'est-à-dire des Noirs et des Blancs pauvres (*white trash*), avant d'être sauvée par son mariage avec un jeune homme d'une famille d'élus. Ironiquement, les membres de cette famille riche portent le nom de Savage, car ce sont les seuls personnages du roman à ne pas être sauvages, c'est-à-dire violents et barbares.

Chez cette famille typique de Blancs pauvres, les Garlock, règnent l'alcoolisme, la violence, la misère totale. Leurs maisons sont «le présent éternel de la pauvreté. Une marée de débris montant jusqu'aux chevilles de Persia, un déferlement d'odeurs: la graisse, les sirops, le lait de bébé, les vomissures de bébé, les excréments de bébé, l'odeur puante des Garlock dans le bois, le papier peint, les fondations mêmes des maisons[2]».

L'attitude d'un homme politique blanc envers les Noirs non élus ne peut être plus claire: «Il faut maintenir ce pays comme le pays de l'homme blanc, quoi qu'il arrive. [...] C'est le principe sacré établi par nos ancêtres. La République a été fondée par des Blancs [...]. L'opposé de la pureté est le métissage[3].»

Iris doit chercher secours chez un jeune Noir lorsqu'elle est harcelée par un Blanc pauvre qui la

suit en lui criant: «*Hey titties wanna suck my cock*[4]?»
(«Hé, nichons, veux-tu sucer ma bitte?»). La rencontre avec le Noir change la vie d'Iris pour toujours.
Toute leur vie, ils garderont secrètes deux transgressions: ils s'aiment et ils ont commis un meurtre (l'un
des 24 000 meurtres commis chaque année aux
États-Unis).

Un livre d'Oates, tout comme n'importe quelle
journée aux États-Unis, n'est pas complet sans des
scènes de cruauté et de violence. En voici un exemple: «Il est poignardé superficiellement une dou-
zaine de fois, poussé nu dans une baignoire, arrosé
de gallons d'eau bouillante de telle sorte que sa
peau rougit, se couvre d'ampoules, éclate, se décolle
de sa chair. Alors qu'il est encore en vie, ses tueurs
le narguent en pissant sur lui[5].»

Par ailleurs, Oates souligne un autre problème
grave aux États-Unis, celui de l'analphabétisme,
surtout chez ceux qui détiennent des diplômes
d'école secondaire (analphabétisme fonctionnel).
Selon Jonathan Kozol, un tiers des adultes américains sont analphabètes et 15 % des diplômés de
l'enseignement secondaire ont un niveau d'alpha-
bétisation qui correspond à celui de l'école primaire[6]. Le roman d'Oates témoigne de ce phénomène: «Bobo dit qu'il s'est inscrit à un cours de
réparation de radios et d'appareils électroniques.
C'est un métier utile, n'est-ce pas? On lui enseigne
aussi à lire et à écrire... on dirait que Bobo s'est
rendu jusqu'à la neuvième année sans avoir jamais
appris à lire et à écrire. On ne s'est certainement
pas forcé pour lui apprendre des choses à l'école,
on l'a fait simplement passer d'une année à
l'autre[7].»

Autre problème grave de la société américaine abordé par l'auteure: l'absence d'assurance médicale chez 15 % de la population. La mère de l'héroïne meurt et cette dernière doit payer 8000 $ en frais médicaux. C'est le prix qu'il faut payer pour faire partie des serfs. On mérite cette punition parce qu'on n'appartient pas aux élus.

Dans son roman *The Rise of Life on Earth* (1991), Oates fait état de la cruauté américaine envers les peuples non élus, qu'il s'agisse de la cruauté des hommes envers les femmes ou bien de celle des bourgeois envers les prolétaires. L'héroïne Kathleen Hennessy, âgée de onze ans, est battue par son père soûl. La fureur aveugle de cet homme causera la mort de la sœur cadette de Kathleen. Le meurtrier, excellent exemple de la mentalité virile américaine, blâme son épouse, «*filthy lying cunt of a mother*[8]» («sale conne de mère») parce que cette dernière a fait éclater la famille en «causant des ennuis[9]».

Kathleen est transférée d'une maison d'accueil à une autre. Elle réalise son rêve de devenir infirmière auxiliaire. À l'hôpital, elle découvre la manière dont les médecins américains séduisent les femmes. L'acte sexuel est violent, cruel. La femme est la proie de l'homme. Le jeune médecin Orson donne ses ordres à Kathleen: «*Suck me off for Christ's sake—get busy*[10]» («Suce-moi pour l'amour de Dieu — au travail»). Lorsqu'il atteint la volupté, il s'exclame: «*Shit—oh shit*[11]» («Merde — oh merde»), souillant la plus belle jupe de Kathleen. La violence de l'acte sexuel est telle qu'«il la pénétrait si profondément que son cul glissait par centimètres sur les lames de parquet en éclats de la chambre[12]». Kathleen tombe enceinte. Son galant l'abandonne:

«Kathleen avait cessé d'exister pour lui[13].» Elle risque sa vie en tentant elle-même de provoquer un avortement à l'aide d'un couteau.

Il est paradoxal qu'Orson reste insouciant devant sa propre action d'exploitation d'une femme, alors qu'il s'apitoie devant l'exploitation des pauvres par les riches qui constitue le fondement même du système socioéconomique américain.

> Orson Abbott a ri encore une fois et soupiré. Il n'avait pas de mépris maintenant, mais plutôt une résignation mélancolique. Il regardait cette jeune femme, ses joues rougies, ses yeux brillants, qui travaillait pour un salaire de 15 cents plus élevé que le salaire minimum établi par le Congrès des États-Unis quelques années auparavant et qui était déjà inadéquat à ce moment-là. C'est toujours ainsi pour les exploités, la classe inférieure de l'Amérique impérialiste. Des milliers de jeunes hommes sans formation sont envoyés comme du bétail pour être tués dans la folle guerre au Viêt-nam afin que des jeunes gens priviligiés comme Orson Abbott puissent être épargnés et continuer leur carrière[14].

Nous voyons encore une fois ici que la cruauté américaine est unidirectionnelle: elle est exercée par les forts et ses victimes sont les faibles. Les forts sont les élus de Dieu et les pauvres, les non-élus.

Le roman *Black Water* (1992) raconte l'histoire d'une jeune femme qui travaille comme reporter, qui a écrit un article sur la peine capitale aux États-Unis et qui fait du bénévolat en enseignant aux analphabètes adultes de Boston. («À Boston, dans le Massachusetts, 40 % de la population adulte est analphabète[15]», malgré que la région bostonienne compte une trentaine d'universités.) Ayant écrit sa thèse sur un certain sénateur, elle fait par la suite la connaissance de ce sénateur, à une fête du 4 juillet, suscite son désir sexuel et meurt dans un accident dont le sénateur, qui, ivre, conduisait trop vite sur une route au bord de l'eau, est responsable. La voiture plonge dans l'eau noire, le sénateur réussit à s'en sortir à peu près indemne et s'inquiète plus des répercussions de l'accident sur sa carrière politique que de la vie de la jeune femme.

Oates stigmatise le système socioéconomique américain comme cruel à deux reprises: quand elle parle de «l'égoïsme et [de] la cruauté d'une société riche qui sont justifiés par l'idéologie[16]» et quand elle qualifie «les années Reagan [comme] la triste dégradation spirituelle, l'hypocrisie, la cruauté, les mensonges prononcés avec un sourire cosméti-que[17]».

L'héroïne Kelly donne la description suivante de l'individualisme des Américains d'aujourd'hui: «"Ma" génération n'existe pas comme telle, monsieur le Sénateur. Nous sommes divisés par des différences de race, de classe, d'éducation, même d'identification sexuelle. Tout ce qui nous unit est notre désunion[18].» On voit ici que les Américains ne constituent même pas une vraie nation au sens de ce mot dans *Le Petit Robert*: «Groupe humain, généralement assez vaste, qui se caractérise par la conscience de son unité et la volonté de vivre en commun.»

Le roman contient plusieurs expressions du mépris que ressentent les Américains riches, les élus, à l'endroit des non-élus. «En privé, Hunt croyait sincèrement que la clé du salut futur de l'Amérique était l'avortement dans les sphères démographiques appropriées: les Noirs, les hispanophones, les mères qui vivent du bien-être social et qui commencent à enfanter dès le début de l'adolescence[19].» «Elle ressentait un certain mépris pour les gens ignorants, pas seulement pour les Noirs (alors que tous ses étudiants étaient noirs), mais pour les Blancs aussi: pour les hommes et les femmes que les progrès impitoyables de la civilisation avaient abandonnés[20].» Un Américain défend la peine capitale en disant: «Nous parlons des criminels endurcis, des meurtriers, de ceux qui sont inaptes mentalement et moralement [...]. Pas des gens convenables et civilisés comme ceux que nous connaissons, mais des gens qui constituent une vraie menace pour la société[21].»

Le narrateur décrit l'horreur de la peine capitale en citant l'article que Kelly avait écrit: «Comme dans une pendaison, les yeux sortent parfois des orbites et tombent sur les joues. [...] Le prisonnier est torturé à mort. [...] Le prisonnier vit l'horreur extrême, la strangulation. [...] Plus d'hommes noirs que d'hommes blancs ont été exécutés aux États-Unis. [...] Les Blancs qui tuent un Noir risquent moins d'être frappés d'une sentence de mort que les Noirs qui tuent un Blanc[22].»

Kelly souffre de ce qu'Herbert Marcuse appelle la «désublimation répressive» dont il sera question dans le prochain chapitre. Il s'agit de la réduction de la personne à un simple objet sexuel. C'est la chosification extrême de l'être humain. On l'associe à la drague dans les discothèques, les bars, la rue. Une amie américaine m'a dit récemment que les Américains de sexe masculin ont tendance à réduire l'art de faire la cour à l'acte de poser une simple question: «*Do you want to fuck?*» («Veux-tu baiser?»)

Voici donc la réaction de Kelly devant la désublimation répressive:

> Elle avait peur de cette fin de semaine parce qu'elle était de plus en plus mal à l'aise dans les soirées comme celle-ci; l'alcool, l'humour, la gaieté et la liberté des commentaires sexuels la mettaient dans l'embarras. [...] Si les hommes la regardaient, elle se raidissait, ses mâchoires se serraient et son cœur battait d'appréhension. Si, par contre, les hommes ne la regardaient pas et que leurs yeux ne la voyaient pas, comme si elle était invisible, elle ressentait une appréhension encore plus grande, la certitude de son échec non simplement comme femme, mais comme être humain[23].

Les critiques disent que les romans de Joyce Carol Oates sont réalistes. Selon moi, ils témoignent mieux que toutes les statistiques du déclin de l'empire américain. On y voit la misère et la souffrance des serfs américains. Le peuple américain est vraiment malheureux, mais l'idée de blâmer le système socioéconomique du pays pour ce malheur est inconcevable. Le pire, c'est que les Américains sont souvent incapables de reconnaître que leur malheur n'est pas un problème personnel mais plutôt un problème social. Chacun est isolé dans sa misère. On cherche un psychiatre pour ses propres névroses alors que c'est d'un «nettoyeur de l'âme» pour la société tout entière qu'on a besoin en réalité.

«Un bon arbre ne peut porter de mauvais fruits, ni un arbre mauvais porter de bons fruits.» (Matthieu, VII, 18.)

1. Joyce Carol Oates, *American Appetites*, New York, Harper and Row, 1990, p. 11.
2. Joyce Carol Oates, *Because it is Bitter, and Because it is my Heart*, New York, Penguin, 1990, p. 18.
3. *Ibid.*, p. 26.
4. *Ibid.*, p. 95.
5. *Ibid.*, p. 305.
6. Jonathan Kozol, *Illiterate America*, New York, New American Library, 1985, p. 4.
7. Joyce Carol Oates, *Because it is Bitter, and Because it is my Heart*, ouvr. cité, p. 363.
8. Joyce Carol Oates, *The Rise of Life on Earth*, New York, New Directions, 1991, p. 20.
9. *Ibid.*, p. 12.
10. *Ibid.*, p. 94.
11. *Ibid.*, p. 83.
12. *Ibid.*, p. 111.
13. *Ibid.*, p. 123.
14. *Ibid.*, p. 105-106.
15. Jonathan Kozol, ouvr. cité, p. 5.
16. Joyce Carol Oates, *Black Water*, New York, Penguin, 1992, p. 82.
17. *Ibid.*, p. 106.
18. *Ibid.*, p. 100.
19. *Ibid.*, p. 41.
20. *Ibid.*, p. 56.
21. *Ibid.*, p. 128.
22. *Ibid.*, p. 128-129.
23. *Ibid.*, p. 71.

CHAPITRE VI

D'autres analyses
de la mentalité américaine

America—love it or leave it!
L'Amérique — aime-la ou quitte-la!

Les auteurs qui analysent la mentalité américaine se divisent facilement en deux groupes: ceux
d'avant le XXe siècle et ceux du XXe siècle. Chez ceux
du premier groupe, l'optimisme et l'admiration à
l'endroit du peuple américain sont presque una-
nimes. Ceux du deuxième groupe, par contre,
expriment à peu près tous un certain désenchantement.

Avant le XXe siècle, on croyait au rêve américain, on était ravi par tout ce qui était original aux
États-Unis, on prévoyait l'influence positive des
Américains sur les autres peuples du monde. Pourtant, les critiques de notre siècle font état des injustices et des absurdités de la vie moderne façonnée
sur le sol américain. La promesse d'améliorer la
condition de l'homme s'est transformée en une
menace contre les valeurs fondamentales de la civilisation occidentale.

Le désabusement face à l'actuelle réalité américaine est exprimé par des gens d'origines bien différentes. Qu'il s'agisse des Noirs, des humanistes, des
féministes, des pacifistes ou d'autres minorités ou
groupes marginaux, les protestations s'élèvent. Le
rêve américain s'est transformé en cauchemar.
Rares sont ceux, pourtant, qui voient que le problème est généralisé, qu'il n'est pas limité au seul
groupe auquel appartient celui qui se plaint.

Nous examinerons ici quelques commentaires
sur les Américains formulés par trois observateurs
d'avant le XXe siècle, c'est-à-dire Hector Saint-John
de Crèvecœur (1735-1813), Alexis de Tocqueville
(1805-1859) et Frederick Turner (1861-1932), ainsi
que ceux de quelques analystes du XXe siècle, tels
que Henry Miller (1891-1980), James Baldwin (1924-
1987), Herbert Marcuse (1898-1979) et Allan Bloom
(1930-1994). De ces sept auteurs, seul Turner n'a pas
vécu pendant de longues périodes hors de son pays
d'origine. Les autres sont donc plus à même de
comparer les Américains avec d'autres nationalités.
Le présent chapitre rappellera les liens étroits qui
unissent la France aux États-Unis depuis le début de
leur histoire. En effet, Crèvecœur et Tocqueville
étaient français. En outre, Miller et Baldwin se sont
exilés en France.

Crèvecœur est né en France en 1735. Après
avoir servi dans l'armée de Montcalm à Québec, il
s'installe dans une ferme dans l'État de New York
vers 1769, puis, en 1783, est nommé consul de
France à New York. Il rentre finalement en France
où il mourra en 1813. Il est l'auteur de *Letters of an
American Farmer*, publiées en anglais en 1782. Dans
cette œuvre, il manifeste une admiration infinie à

l'endroit des Américains et louange son pays d'adoption dans un style souvent hyperbolique: «Nous sommes la société la plus parfaite qui existe au monde[1].» Ce qu'il apprécie aux États-Unis, c'est la liberté, l'égalité, la prospérité, l'industrie, les bonnes mœurs, la sagesse, l'amour des lettres. Le nouveau pays est un refuge pour les pauvres d'Europe qui y trouvent l'occasion de s'enrichir. Le destin des paysans européens se définit par «l'oisiveté involontaire, la dépendance servile, la pénurie et le travail inutile[2]». Celui de l'Américain, par contre, comprend des «travaux d'une autre nature, compensés par une existence adéquate[3]». Il a la chance de vivre en Amérique à une époque où l'égalité des hommes blancs se manifeste dans la répartition des richesses: «Les riches et les pauvres ne sont pas aussi éloignés les uns des autres comme c'est le cas en Europe[4].» Il décrit le pays comme étant un endroit idyllique où la plupart des gens sont des cultivateurs vivant en harmonie avec la nature et avec leurs voisins. La nouveauté de la condition américaine constitue la promesse de ce pays. Crèvecœur y voit «une nouvelle race d'hommes, dont les labeurs et la postérité provoqueront un jour de grands changements dans le monde[5]». La société est tellement juste que la criminalité y est presque inconnue.

C'est en fait une utopie que Crèvecœur décrit. Lorsqu'un Européen arrive en Amérique, selon lui, «il voit le bonheur et la prospérité partout; il rencontre un bon accueil, la gentillesse et la plénitude, où qu'il aille; il ne voit guère de pauvres; il n'entend parler que rarement de punitions et d'exécutions[6]». La réaction des lecteurs du XVIIIe siècle a été souvent semblable à la nôtre: c'est trop beau pour être vrai.

Pour sa part, Alexis de Tocqueville, aristocrate français, fait un voyage aux États-Unis en 1831. Comme dans le cas de Crèvecœur, le pays lui plaît. Il s'intéresse surtout aux formes de gouvernement, mais il s'attache aussi à observer les mœurs des Américains. Ce qu'il admire le plus, c'est l'égalité des conditions[7], ce qui lui fait dire très naïvement que la société américaine se dirige vers un état dans lequel il n'y aura «ni pauvres, ni riches[8]». Tocqueville élude la question des esclaves noirs, qui constituent quand même un quart de la population. Ils n'ont aucun droit légal, mais leur esclavage et leur misère passent inaperçus aux yeux de l'aristocrate français qui vante l'égalité de tous aux États-Unis. Les femmes, bien sûr, sont également invisibles dans sa perspective.

Il faut croire que Tocqueville ne voit la vie américaine qu'en surface, car il déclare: «Les communes de la Nouvelle-Angleterre ont en général une existence heureuse[9].» Le bonheur terrestre n'a jamais été un trait caractéristique des puritains de la Nouvelle-Angleterre. Cela n'a même jamais été l'un de leurs désirs. Par contre, il perçoit clairement l'individualisme féroce des Américains, leur mépris de tout pouvoir centralisateur et le sort malheureux réservé à ceux qui ne réussissent pas. Il déclare: «L'habitant des États-Unis apprend dès sa naissance qu'il faut s'appuyer sur soi-même pour lutter contre les maux et les embarras de la vie; il ne jette sur l'autorité sociale qu'un regard défiant et inquiet, et n'en appelle à son pouvoir que quand il ne peut s'en passer[10].» C'est grâce à cet individualisme que les Américains forment «une multitude de citoyens réglés, tempérants, modérés, prévoyants, maîtres d'eux-mêmes[11]».

Il est vrai que l'admiration de Tocqueville pour les Américains s'accompagne de certaines réserves, surtout en ce qui concerne la tyrannie possible de la majorité[12], mais, en général, il croit que le système américain est en mesure de garantir l'épanouissement des citoyens. Il prédit avec clairvoyance l'immense influence des Américains sur les autres peuples du monde dans les générations à venir.

Par ailleurs, pour Frederick Jackson Turner, un historien américain, la *frontier* (la conquête de l'Ouest) serait à l'origine de la mentalité américaine. Il y attache le même degré d'importance que j'accorde à l'héritage puritain. Turner expose sa thèse à l'occasion d'un congrès de l'American Historical Society qui a lieu à Chicago en 1893. Selon lui, la présence de terres abondantes, vierges, inexploitées dans l'ouest du pays explique les qualités typiquement américaines, telles que l'amour de la liberté, l'individualisme, l'acharnement au travail, l'optimisme, l'innovation, le patriotisme. Toutes ces qualités, admettons-le, sont les qualités des puritains. Pour Turner, il s'agit toujours de bonnes qualités dont les Américains ont le droit d'être fiers.

Tout comme les descendants des puritains restés dans les grandes villes de l'Est, l'homme de l'Ouest assimile accumulation d'argent et succès de l'individu: «[Turner] fait chœur avec les autres Américains pour affirmer que le succès se mesure à la richesse[13].» Il serait en fait plus exact de dire que la conquête de l'Ouest offrait à l'Américain la possibilité de faire rayonner les valeurs puritaines qui formaient déjà le noyau de la mentalité américaine, plutôt que de prétendre que la conquête de l'Ouest a créé cette mentalité.

Il est quand même curieux que Turner, selon sa propre perspective, ne relève pas le rôle de la conquête de l'Ouest en ce qui concerne certains défauts des Américains qui frappent les visiteurs d'autres pays. On pense ici, entre autres, à leurs tendances violentes, criminelles et primitives.

L'attitude des intellectuels du XXe siècle à l'égard des États-Unis est tout autre que celle des observateurs des siècles précédents. L'optimisme et la fierté cèdent la place au pessimisme et à la honte. Il n'y a plus que les politiciens qui assurent aux Américains qu'ils vivent dans le plus grand pays du monde.

En 1939, l'écrivain Henry Miller revient aux États-Unis après dix ans d'exil en France. Il fait un voyage à travers les États-Unis qui confirme la vision pessimiste de son pays natal qu'il avait entretenue pendant sa vie à Paris. Il voit l'Amérique à travers les yeux d'un Européen, mais il ne partage pas l'indulgence d'un étranger devant les faiblesses d'un peuple exotique. Les Américains lui semblent superficiels, matérialistes, lâches, vaniteux, provinciaux, obsédés par les choses et les bricoles. Il trouve les villes laides, l'architecture inhumaine, la publicité ridicule. Les gens vivent dans un désert culturel et spirituel. La perception de Miller rejoint donc la mienne en plusieurs points.

Il serait opportun de céder la parole à Miller, qui exprime mieux que quiconque les caractéristiques de la mentalité et du comportement américains dans son récit de voyage intitulé *The Air-conditioned Nightmare*.

La phrase suivante en dit long sur sa pensée: «C'était un immense gâchis créé par des monstres préhumains ou sous-humains dans un délire d'avidité[14].» Pour Miller, la ville de New York est l'endroit le plus horrible du monde. Il est vrai que les réactions à l'égard de New York sont toujours très extrêmes. Soit on l'aime énormément, soit on la déteste. Enfant, je l'aimais beaucoup, mais, maintenant, je n'ai aucun désir d'y retourner. J'ai même tendance à plaindre les gens qui y vivent. La dernière fois que j'étais là, je n'ai eu qu'un seul plaisir: celui de parler espagnol avec les hispanophones. De toute manière, j'avais plus souvent l'occasion de parler espagnol que de parler anglais. Je me suis rendu compte que les hispanophones étaient reconnaissants qu'un Américain anglophone ait pris la peine d'apprendre leur langue.

Miller critique la vulgarité et le gaspillage des Américains. Il affirme:

> En réalité, nous sommes une foule vulgaire et agressive dont les passions sont manipulées facilement par les démagogues, les journalistes, les fanatiques religieux, les agitateurs, et j'en passe. Il est blasphématoire d'appeler ce pays une société de gens libres. Qu'avons-nous à offrir au monde sinon le pillage gigantesque auquel nous soumettons la terre sans réfléchir tout en gardant la folle illusion que cette activité insensée représente le progrès et la lumière? Le pays des possibilités est devenu le pays de l'exploitation et des luttes absurdes[15].

Miller conteste aussi l'idée américaine du progrès. C'est un faux progrès, dit-il, basé sur des illusions matérialistes et des faux besoins commerciaux. Il souligne que «tout ce qui ne peut pas être acheté ou vendu est exclu, qu'il s'agisse d'objets, d'idées, de principes, de rêves ou d'espoirs[16]».

Les Américains, selon Miller, sont empoisonnés par les objets du monde moderne. Ils sont tellement obsédés par les biens matériels qu'ils ont perdu contact avec leur âme. Il déclare: «Ils voient une belle voiture reluisante qui ronronne comme un chat… Ils voient l'éclat, la peinture, les babioles, les gadgets, le luxe. Ils ne voient pas l'amertume dans le cœur, le scepticisme, le cynisme, le vide, la stérilité et le désespoir qui rongent le travailleur américain[17].»

Miller a rencontré plusieurs Européens qui ont essayé de vivre aux États-Unis, mais qui ont abandonné leur projet de devenir américains à cause du malaise spirituel du pays. «Je pense à tant d'hommes éminents qui ont visité le pays et puis sont retournés dans leur pays d'origine avec tristesse, dégoût et désillusion. Il y a une chose que l'Amérique peut donner, et là, ils sont tous d'accord: L'ARGENT[18].»

Je me souviens d'avoir rencontré une vieille Russe qui vivait depuis quarante ans aux États-Unis. Je lui servais d'interprète à l'occasion d'une rencontre avec une amie française. Après avoir fait le travail ardu de traduction en russe et en français pendant deux heures, j'ai dû répondre à sa question sur ma propre origine. Alors, j'ai dit en russe: «Je suis américain.» Et elle de répliquer: «Si vous êtes américain, je ne vous aime pas.» Je voyais devant moi quarante ans de misère et de malheur, quarante ans de nostalgie pour son village natal sur les bords de la Volga et pour une culture qui était plus soucieuse de l'homme que la culture contemporaine américaine.

Il reste que, de tous les peuples qui habitent le pays, ce sont certainement les Noirs qui ont le droit d'être les plus désabusés de l'expérience américaine. Dans son livre *The Fire Next Time*, James Baldwin, auteur noir qui a grandi à Harlem, fait état de l'oppression dont les Noirs ont été victimes depuis leur arrivée au XVIIe siècle. Il soutient que les Blancs sont aussi prisonniers de leur mythe de supériorité raciale que les Noirs le sont du mythe de leur infériorité fabriqué par les Blancs. Les Noirs voient l'hypocrisie des Blancs, surtout par le biais de leurs manifestations religieuses. Il est temps que les Noirs aient leur part du pouvoir aux États-Unis, sans quoi le pays est voué à un bain de sang, si l'on en croit les musulmans noirs.

Selon Baldwin, la source du pouvoir des Noirs doit être leur connaissance des Blancs, qui est supérieure à celle que les Blancs ont d'eux-mêmes. En effet, les Noirs voient les mensonges et les illusions derrière lesquels les Blancs se cachent. Les Noirs refusent la mythologie américaine, ce qui précipitera le déclin de l'empire américain. Baldwin déclare:

> Le Noir américain a l'avantage de n'avoir jamais cru à la collection de mythes qui est tellement chère aux Blancs: que leurs ancêtres étaient des héros qui aimaient la liberté, qu'ils sont nés dans le meilleur pays que le monde ait vu, que les Américains sont invincibles à la guerre et sages dans la paix, que les Américains se sont comportés honorablement avec les Mexicains, les Amérindiens, les autres voisins et les gens inférieurs, que les hommes américains sont les plus directs et les plus virils du monde, que les femmes américaines sont pures[19].

Les Blancs ont convaincu les Noirs de leur infériorité avec le résultat que les Noirs se détestent entre eux. Ils adoptent les préjugés des Blancs à leur endroit. C'est le drame du colonisé tel que l'a décrit Frantz Fanon. On le rencontre chez tous les groupes dominés, qu'il s'agissse des Noirs, des Québécois, des femmes ou des homosexuels. Le sentiment d'infériorité entraîne les exploités à ne se croire capables d'agir que sur l'initiative des exploiteurs. Baldwin exprime ce fait ainsi:

> Le triomphe américain, qui est aussi la tragédie américaine, est de faire en sorte que les Noirs se détestent. Quand j'étais petit, je me détestais, je ne savais pas faire mieux que cela. Cela voulait dire que je détestais aussi, d'une manière inconsciente et contre mon gré, mon père, ma mère, mes frères et mes sœurs. Quand j'étais petit, les Noirs se tuaient chaque samedi soir sur Lenox Avenue. Personne ne leur a expliqué que les Blancs voulaient qu'il en soit ainsi et qu'ils vivaient dans une cage comme des animaux afin qu'ils se considèrent comme des animaux[20].

C'est finalement le système socioéconomique américain qu'il faut blâmer pour le sort des Noirs. Aussi longtemps que persistera le système de *dog-eat-dog capitalism* (la jungle capitaliste) continuera aussi l'exploitation des faibles par les forts. Baldwin ajoute: «Nous savons que nous, les Noirs, mais pas uniquement nous les Noirs, avons été et sommes toujours des victimes d'un système dont le seul moteur est l'avidité et dont le seul dieu est le profit. Nous savons que les fruits de ce système sont l'ignorance, le désespoir et la mort et nous savons que le système est condamné à échouer parce que le monde ne peut plus payer la note[21].»

Herbert Marcuse propose quant à lui une critique de la société moderne qui marie la pensée

marxiste et la pensée freudienne. Sa cible est toujours
la vie sous le système capitaliste avancé, que ce soit
en Europe ou en Amérique. Or une lecture attentive
de son œuvre révèle que ce sont bien les États-Unis
qui servent de base à son analyse. Ceux qui connaissent son pays d'origine, l'Allemagne, perçoivent facilement sa nostalgie pour la culture de son enfance,
celle de l'Allemagne d'avant la Première Guerre
mondiale. Il a été banni par le Troisième Reich parce
qu'il était juif et marxiste. Il a choisi les États-Unis
comme pays d'exil. Il a exercé une influence énorme
sur les révolutionnaires de ma génération, autant en
Europe qu'aux États-Unis. Son étudiante et disciple
la plus célèbre fut Angela Davis, révolutionnaire
noire et professeure de philosophie marxiste.

Marcuse défend la thèse que l'espèce humaine
possède pour la première fois dans son histoire une
richesse et une technologie adéquates pour assurer
un niveau de bien-être minimal à tous les êtres
humains. Ce qui empêche un tel paradis est la per-
pétuation des injustices du capitalisme américain
qui permet aux oligarques d'exploiter le reste du
monde. Il faut se rappeler qu'il n'y a pas que le
peuple américain qui soit asservi aux investisseurs
de Wall Street. Chaque pays du monde a sa dette
nationale, mais les gens qui en tirent profit appartiennent tous à la même minorité.

Le livre le plus connu de Marcuse est *One-
dimensional Man*. Il y décrit l'abdication de la liberté
par l'homme moderne dont l'esprit est abruti par le
totalitarisme culturel de la société technologique. L'individu est séduit par les images d'efficacité et de plaisir que présentent tous les médias, images qui solli-
tent constamment tous ses sens. La publicité

omniprésente crée de faux besoins que les victimes du lavage de cerveau médiatique essaient de combler. Cette tentative, vouée à l'échec, de satisfaire les faux besoins engendre «le travail, l'agressivité, la misère et l'injustice[22]».

La société moderne est irrationnelle et entrave le libre développement de l'esprit individuel. Elle confond la vie publique avec la vie privée de telle manière que la vie privée est anéantie. La croissance économique du système capitaliste aboutit inévitablement à un gaspillage illimité: «Les contrôles sociaux entraînent le besoin irrésistible de la production et la consommation des déchets, le besoin du travail abrutissant là où il n'est plus nécessaire, le besoin de loisirs qui apaisent et prolongent cet état de stupeur, le besoin de maintenir des libertés trompeuses telles que la compétition libre aux prix déjà fixés, une presse libre qui se censure elle-même, et le choix libre entre marques et gadgets[23].»

La notion même de rationalité se transforme dans le cadre du capitalisme avancé, car le système crée sa propre rationalité. L'homme s'identifie tellement aux biens matériels de la société de consommation qu'il en devient un lui-même. Le concept d'aliénation comme l'a défini Karl Marx n'a presque plus de sens ici puisque l'acceptation psychologique par l'homme de l'orientation matérialiste de sa société est totale. La religion de la consommation est plus totalitaire que les systèmes mythologiques antérieurs.

Marcuse affirme:

Nous sommes confrontés encore une fois à l'un des aspects les plus vexants de la civilisation industrielle avancée, c'est-à-dire le caractère rationnel de son irrationalité. L'idée même de l'aliénation devient douteuse devant sa productivité, son efficacité, sa capacité d'augmenter et d'étendre le confort, de transformer le gaspillage en besoin et la destruction en construction, et devant le fait que cette civilisation transforme le monde des objets en un prolongement de l'esprit et du corps de l'homme. Les gens se reconnaissent dans leurs marchandises; ils trouvent leur âme dans leur voiture, leur chaîne stéréo, leur maison et leurs appareils électroménagers. Le mécanisme qui lie l'individu à sa société a changé et le contrôle social est ancré dans les nouveaux besoins qu'il a produits[24].

Puisqu'il paraît tellement moderne et révolutionnaire, peu de lecteurs de Marcuse reconnaissent sa nostalgie pour sa culture d'origine. Toutefois, rares sont ceux qui ont expérimenté personnellement les plus beaux aspects de la culture allemande traditionnelle. Le choc de la culture allemande traditionnelle avec la culture moderne américaine amène Marcuse à inventer l'expression «désublimation répressive». Elle caractérise la sexualité non romantique et destructrice de l'homme moderne. La sublimation des pulsions sexuelles, selon Freud, est la source de la création artistique et spirituelle. Elle libère et inspire. Son anéantissement dans la vie moderne provoque névroses, psychoses et complexes sexuels. La désublimation résulte de la transformation de la vie sexuelle en objet de consommation, comme n'importe quel autre plaisir ou bricole. D'où l'expression américaine *having sex*. Lorsque l'aspect romantique disparaît de l'amour, le sens du tragique disparaît en même temps. Une dimension spirituelle essentielle est absente, et l'homme moderne est donc vraiment unidimensionnel.

Chez l'Américain moderne, «la célébration de la personnalité autonome, de l'humanisme et de l'amour tragique et romantique semble être l'idéal d'un stade arriéré de développement[25]». Dans sa vanité, il pense avoir atteint un stade supérieur du développement humain, alors qu'en réalité il est victime d'une déshumanisation sans précédent dans l'histoire humaine. C'est ainsi que le segment de la population américaine qui augmente le plus vite est composé des malades mentaux. Les Américains sont déjà perçus comme des fous par beaucoup d'étrangers. Par exemple, j'ai fait la connaissance à Paris d'un jeune homme, originaire de Hong Kong, dont toute la famille était en train de s'établir en Californie, sauf lui qui voulait vivre en France malgré les difficultés de langue et d'immigration. «Pourquoi? lui ai-je demandé. — Parce que tous les Américains sont fous», a-t-il répondu.

La comparaison que fait Marcuse entre la culture de son enfance et la culture américaine s'exprime clairement dans le passage suivant: «Comparez l'amour fait dans un champ avec celui fait dans une voiture, ou bien la promenade des amants à l'extérieur des murs d'une ville avec celle dans une rue de Manhattan. Dans les premiers cas, l'environnement participe et encourage une catharsis libidinale et il tend à être érotisé[26].» Cette comparaison est également explicite lorsqu'il regrette la disparition de la culture traditionnelle européenne sur le sol américain. Cette culture était celle de l'élite intellectuelle, d'une petite minorité de chaque pays européen, celle, en effet, du jeune étudiant Marcuse de l'époque du kaiser Wilhelm II. La culture de l'élite est maintenant complètement absorbée par la culture populaire. Tout le monde regarde les mêmes films, les mêmes émissions de télévision. Les gens ne lisent plus, n'apprennent plus les langues étrangères ou anciennes. La culture de l'élite est donc véhiculée de la même façon que la culture populaire avec ses banalités vulgaires. Elle devient un autre bien de consommation. Marcuse l'explique ainsi: «Les communications de masse [les médias], en confondant d'une manière harmonieuse et qui passe souvent inaperçue l'art, la politique, la religion et la philosophie avec la publicité, réduisent ces domaines de la culture à leur dénominateur commun — la marchandise. La musique de l'âme devient la musique de la vente. Ce qui compte est la valeur d'échange et non la valeur de la vérité[27].»

Toutefois, selon Marcuse, il existe un espoir de changement radical du mode de vie américain, qui se trouverait chez les plus démunis de la société américaine: les Noirs, les décrocheurs, les chômeurs, les marginaux, des gens que Karl Marx désigne globalement comme le lumpenprolétariat, les prolétaires en haillons. Chez Marx, pourtant, ces gens ne constituent pas une force révolutionnaire. En lisant cette déclaration de Marcuse, vieille maintenant d'une trentaine d'années, on ne peut retenir un soupir amer, car l'espoir révolutionnaire que lui inspiraient les militants noirs n'a pas été comblé. Il déclarait en effet: «Au-dessous de la classe populaire conservatrice se trouve la couche des marginaux et des rebuts, des exploités et des persécutés d'autres races et d'autres couleurs, des chômeurs et de ceux qui ne sont pas aptes à travailler. Ils vivent en dehors du système démocratique; leur vie signale le besoin le plus immédiat et le plus réel de

supprimer des conditions et des institutions intolé-
rables. Ainsi, leur opposition est révolutionnaire
même si leur conscience ne l'est pas[28].» Malheureusement, pour trop de révolutionnaires potentiels, la
période qui a suivi la déclaration de Marcuse en a
été une de drogues, de violence, de criminalité, de
maladie mentale, de désespoir.

Allan Bloom, dans son livre *The Closing of the
American Mind*, exprime le même degré de désenchantement envers les États-Unis qu'Herbert
Marcuse. Beaucoup de leurs observations se rejoignent. Pourtant, les deux auteurs sont aux antipo-
des lorsqu'il s'agit de politique. Marcuse est
marxiste, tandis que Bloom défend vigoureusement
le système socioéconomique et politique des États-
Unis. Il est donc intéressant de voir que le point de
vue en politique ne modifie pas le dégoût que les
intellectuels ressentent à l'endroit de la culture américaine d'aujourd'hui.

Pour Bloom, les étudiants américains sont des
ignares. Ils ne lisent pas, ne connaissent pas les
œuvres classiques de la civilisation, suivent des
modes bêtes, ne peuvent se libérer du ici et maintenant, sont les esclaves d'un relativisme culturel qui
abolit toute profondeur intellectuelle, n'apprécient
pas les possibilités illimitées du vrai amour, n'apprennent pas les langues étrangères, ignorent même
l'histoire de leur propre pays: «Les meilleurs étudiants d'aujourd'hui en savent tellement moins que
leurs prédécesseurs que ces derniers semblent être
des merveilles culturelles. Les étudiants sont encore
plus isolés de la tradition et encore moins intellectuels. Le sol est si mince qu'il ne pourra soutenir de
grandes plantes, selon moi[29].»

Les jeunes Américains tuent la civilisation occidentale par leur refus de la lecture: «Nos étudiants ont perdu l'art et le goût de la lecture. Ils n'ont pas appris à lire et ils ne s'attendent pas à ce que la lecture leur donne du plaisir ou les améliore. [...] Ils n'ont pas recours aux mots imprimés pour chercher des conseils, de l'inspiration ou de la joie[30].»

Les étudiants américains deviennent des esclaves du présent par leur refus de lire. Ils se coupent de la sagesse et de la beauté spirituelle d'autres époques et d'autres cultures. Ils sont certainement des victimes de la télévision et de la paresse intellectuelle qu'elle représente. Ils s'attendent à recevoir des informations sans faire aucun effort intellectuel, à s'amuser à tout prix. La vie intellectuelle est sacrifiée pour une suite absurde de plaisirs et de frissons. Il n'y a rien dans la vie des étudiants américains qui soit capable d'inspirer, selon Bloom. Ceux-ci vivent dans un monde d'images physiques. Ils cultivent les apparences et n'ont aucune idée des possibilités de l'esprit ou de l'âme. Ils sont victimes de la publicité commerciale qui est centrée sur une exploitation des désirs sexuels. Ils sont donc obsédés par leurs corps et n'imaginent pas que la vie puisse offrir plus que ses aspects physiques et tangibles. Bloom affirme: «La vie est devenue une fantaisie masturbatoire continuelle, présentée d'une manière commerciale[31].»

Comme Marcuse, Bloom déplore le manque de sublimation dans la vie sexuelle des jeunes Américains: «La sublimation a perdu son pouvoir de création et de formation, avec le résultat que la culture est assoiffée et la nature, polluée[32].» Malgré les divergences des deux penseurs, Marcuse aurait pu écrire exactement la même phrase. L'absence de sublimation se manifeste par la promiscuité sexuelle et l'absence de sentiments romantiques. Bloom déclare: «Je ne peux accepter leur manque de passion, d'espoir, de compréhension des liens entre l'amour et la mort. Je reste bouche bée quand je vois un couple, qui a vécu ensemble pendant ses années à l'université, se quitter simplement en se serrant la main[33].»

On trouve chez Bloom ce que j'appelle le snobisme des grandes villes. Il croit que la vie est impossible en dehors des métropoles. Cette attitude est tout de même surprenante chez quelqu'un qui prône les mérites d'une éducation humaniste qui doit élargir les perspectives. Il affirme que les Américains ont le choix entre plusieurs villes intéressantes, ce qui n'est pas le cas ailleurs: «Au Canada et en France, par contre, les gens ne peuvent aller nulle part, bien qu'il s'agisse de la même culture. Pour un Canadien anglophone qui est né à Toronto, Vancouver constitue la seule option valable, et il n'y a aucune option du tout pour un Parisien[34].» Je connais fort bien ce snobisme. J'habite une petite ville québécoise depuis 1977 et je vois souvent les réactions de pitié et d'horreur quand j'explique aux habitants de grandes villes que je préfère vivre là où je suis que d'affronter quotidiennement le stress et l'inhumanité des grandes villes. Un jour, un Parisien m'a dit avant mon retour à Chicoutimi: «Mes condoléances.» Je sais de quoi je parle, puisque j'ai vécu plus longtemps dans les grandes villes des États-Unis et d'Europe que dans de petites villes.

Pour dire vrai, je ne partage pas le patriotisme de Bloom. Selon lui, les États-Unis sont vraiment le plus grand pays de l'histoire humaine. Il se permet d'énoncer des phrases absurdes comme: «L'Amérique raconte une seule histoire, c'est-à-dire celle des progrès inéluctables et ininterrompus de la liberté et de l'égalité[35].» Mais il suffit de se promener entre Harlem et Westchester County à New York, entre Roxbury et Wellesley à Boston, entre mon quartier du nord-est du district de Columbia et Bethesda, pour se rendre compte que les États-Unis sont le pays où, de tous les pays du monde, l'inégalité est la plus frappante.

L'immense inégalité dans la répartition de la richesse est criminelle en soi; elle est aussi la cause de la grande frustration des gens de tous les échelons sociaux. La concurrence et les faux besoins qu'elle entraîne génèrent de hauts taux de criminalité et de maladie mentale. Un aspect hideux de cette inégalité est la consommation ostentatoire et l'étalage de la richesse des nantis, ces derniers se donnant en spectacle, eux et leur richesse. La vulgarité des riches est beaucoup plus frappante aux États-Unis que dans d'autres pays. Cette ostentation dérive de deux vestiges du puritanisme, c'est-à-dire qu'elle est une confession publique de l'appartenance au peuple élu. On montre en public le luxe qu'on s'achète sans avoir de vrais besoins afin que ses voisins se rendent compte de sa richesse, qui est elle-même un symbole de la grâce divine.

Il est facile pour Bloom de parler de l'égalité et de la liberté aux États-Unis, car il n'a probablement jamais vécu dans un taudis, dans une prison, dans un hôpital psychiatrique, dans un parc ou sur un trottoir. Il est évident que sa définition de ce qui constitue l'égalité relève d'une conception bourgeoise prémarxiste. Pour lui, il suffit d'exercer son droit de vote une fois tous les quatre ans pour croire que l'on vit dans un pays d'égaux. Pourtant, deux tiers de la population américaine ne veut même pas voter. Il serait très difficile de convaincre la plupart de ces gens qu'ils sont les égaux de ceux qui ont réussi, du moins selon les critères américains de la réussite.

Nous avons donc vu que le désenchantement à l'endroit de la culture américaine d'aujourd'hui est unanime chez les intellectuels de ce siècle, qu'ils soient nés en Europe (Marcuse) ou aux États-Unis (Miller, Baldwin, Bloom), qu'ils soient Blancs (Marcuse, Miller, Bloom) ou Noir (Baldwin), qu'ils soient de la gauche politique (Miller, Marcuse, Baldwin) ou de la droite (Bloom). On peut conséquemment s'inquiéter devant l'américanisation galopante de la planète.

1. J. Hector Saint-John de Crèvecœur, *Letters from an American Farmer*, New York, E. P. Dutton, 1957, p. 36.
2. *Ibid.*, p. 40.
3. *Ibid.*
4. *Ibid.*, p. 36.
5. *Ibid.*, p. 39.
6. *Ibid.*, p. 52.
7. Alexis de Tocqueville, *De la démocratie en Amérique*, Paris, Nouveaux Horizons, s.d., p. 21.
8. *Ibid.*, p. 33.
9. *Ibid.*, p. 62.
10. *Ibid.*, p. 161.
11. *Ibid.*, p. 181.
12. *Ibid.*, p. 199.
13. Sidney Fine et Gérard Brown (dir.), *The American Past: Conflicting Interpretations of the Great Issues*, vol. 2, New York, Macmillan, 1961, p. 113.
14. Henry Miller, *The Air-conditioned Nigthmare*, New York, New Directions, 1945, p. 12.

15. *Ibid.*, p. 20.
16. *Ibid.*, p. 24.
17. *Ibid.*, p. 33.
18. *Ibid.*, p. 48.
19. James Baldwin, *The Fire Next Time*, New York, Laurel, 1962, p. 136.
20. Angela Davis (dir.), *If They Come in the Morning*, San Francisco, New American Library, 1971, p. 21.
21. *Ibid.*, p. 23.
22. Herbert Marcuse, *One-dimensional Man*, Boston, Beacon Press, 1964, p. 5.
23. *Ibid.*, p. 7.
24. *Ibid.*, p. 9.
25. *Ibid.*, p. 56.
26. *Ibid.*, p. 73.
27. *Ibid.*, p. 57.
28. *Ibid.*, p. 256-257.
29. Allan Bloom, *The Closing of the American Mind*, New York, Simon and Schuster, 1987, p. 51.
30. *Ibid.*, p. 62.
31. *Ibid.*, p. 75.
32. *Ibid.*, p. 231.
33. *Ibid.*, p. 123.
34. *Ibid.*, p. 87.
35. *Ibid.*, p. 55.

Conclusion

Nous ne cesserons pas d'explorer,
Et à la fin de toutes nos explorations,
Nous arriverons à l'endroit où nous avons
     commencé,
Et nous le connaîtrons pour la première fois.

T. S. ELIOT

Ce court essai est à la fois un plaidoyer en faveur d'une transformation radicale du système socioéconomique des États-Unis et un avertissement pour les autres pays. Mon ami Mark Frechette avait raison lorsqu'il a dit au *Johnny Carson Show* en 1970: «*Unfortunately, America needs more than a face-lift*» («Malheureusement, l'Amérique a besoin de plus qu'un lifting»). Les mesures palliatives ne suffisent pas. On a le droit de se demander combien de temps encore le tiers-monde va permettre qu'un seul pays ne comptant que 5,6 % de la population mondiale détienne la moitié de la richesse de la planète. Ou combien de temps encore les démunis des États-Unis toléreront que la moitié de la richesse du pays soit dans les mains de 1 % de sa population, surtout quand ces derniers semblent être si perdus et si malheureux malgré leur immense fortune, sinon à cause d'elle.

Assisterons-nous au passage d'une oligarchie à une démocratie comme l'a décrit Platon? «La démocratie, dit-il, apparaît lorsque les pauvres, ayant remporté la victoire sur les riches, massacrent les uns, bannissent les autres et partagent également avec ceux qui restent le gouvernement et les charges publiques.» (*La République*, VII/556b-557b.)

Si les autres pays continuent de suivre le modèle de société proposé par les États-Unis, ils aboutiront certainement au même marasme social, à la même confusion psychologique. L'américanisation de la planète, surtout depuis la chute du socialisme en Europe, est un spectre de plus en plus menaçant. Son aspect le plus terrible se verra dans l'homogénéisation culturelle. Les linguistes disent que 2000 langues et dialectes ont été remplacés par l'anglais. La disparition d'une langue est synonyme de la disparition d'une culture. Là où l'on remplace la langue du peuple par l'anglais, on remplace également la culture locale par la culture anglo-saxonne. Ma participation à la lutte pour un Québec indépendant constitue une réaction à la menace d'homogénéisation à l'américaine de notre petite planète.

Trop d'Américains souhaitent une telle homogénéisation. Ils sont si convaincus de leur supériorité qu'ils ne veulent pas admettre la possibilité de différences culturelles. Un exemple flagrant est le désir de Franklin Roosevelt de voir disparaître le peuple franco-canadien par une assimilation totale dans la culture et la langue anglaises. Il écrivait à Mackenzie King le 18 mai 1942: «Je me demande si le Canada et les États-Unis peuvent planifier, ne serait-ce qu'une planification non écrite, l'assimilation des francophones de la Nouvelle-Angleterre et du Canada... En d'autres mots, après deux cents ans chez vous et soixante-quinze ans chez nous, il n'y a aucune raison valable pour que les Canadiens français restent différents des autres races[1].»

Une amie américaine m'a dit récemment que le Québec avait vingt ans de retard sur les États-Unis. Elle pense probablement que la France en a trente et la Papouasie-Nouvelle-Guinée, deux mille. Il est typique des Américains de croire que tous les autres pays du monde doivent être jugés à l'aune des États-Unis et, ce qui est plus grave, qu'ils ne vivent que pour devenir comme les États-Unis. Les Américains croient que leurs valeurs sont universelles et ils plaignent ceux qui n'ont pas adopté leur mode de vie. Ils sont si habitués à ne voir que la surface des choses qu'ils se contentent d'une attitude simpliste envers les pays étrangers. Il n'est donc pas surprenant que les Américains apprennent si rarement les langues étrangères. Par exemple, 83 % des professeurs d'anglais langue seconde ne parlent aucune autre langue que l'anglais. À quoi cela sert-il de parler avec des personnes d'autres nationalités si on croit toujours qu'elles sont arriérées?

Une tristesse immense m'envahit quand je vois l'enthousiasme des jeunes étrangers pour mon pays d'origine, qu'ils viennent d'Europe de l'Est, de Cuba, d'Asie ou du Québec. Ils sont séduits par les images superficielles de la société américaine transmises par la télévision et le cinéma. Ils croient qu'il suffit d'atterrir sur le sol américain pour vivre comme les millionnaires qu'ils voient dans l'émission *Dallas*.

Il est temps qu'un Américain, surtout un Américain dont la famille vit dans le pays depuis le tout

début, témoigne sans détour, pour le bénéfice de
tous, que le rêve américain est devenu un cauchemar, que nous n'avons pas réussi à faire de Boston
la Nouvelle Jérusalem que nos ancêtres souhai-
taient. Je suis certain que les premiers puritains, s'ils
pouvaient voir aujourd'hui leur Nouvelle-Angleterre,
choisiraient de retourner tout de suite dans les ténèbres de la mort. Leur *errand into the wilderness* (mission dans les contrées sauvages) n'a pas donné les
résultats escomptés. L'expérience américaine est
un échec. Tout ce qui peut sauver ma patrie malheureuse est l'avènement du socialisme américain. Il sera tout à fait original et n'aura rien à voir
avec les catastrophes du socialisme en Europe de
l'Est.

Il reste encore quelque chose à dire de la persistance du puritanisme dans les États-Unis du XXe siècle. Il s'agit de ma propre quête spirituelle qui
reproduit en plusieurs aspects celle des puritains du
XVIIe siècle.

Je pourrais qualifier mon essai d'exposé, précisément parce que je m'expose. J'expose mon passé
personnel tout en exposant le passé de ma collecti-
vité d'origine. J'analyse la mentalité américaine
depuis ses origines au XVIIe siècle et j'avoue que je
partage cette mentalité. En ce sens, cet essai constitue ma propre confession publique. L'élément le
plus révélateur de ma propre histoire et celui que
j'ai toujours gardé secret jusqu'ici est le fait que je
suis un *homo religiosus*. Ma nature religieuse s'inscrit
strictement dans la tradition de mes ancêtres puritains. Comme eux, je ressens le besoin de dévoiler
sur la place publique mes idées religieuses les plus
intimes.

La division du monde entre les élus et les non-élus fait partie aussi de ma propre façon de penser. Chez moi, cependant, la division du monde est basée sur un mariage entre le christianisme et le marxisme. J'ai tendance à inclure parmi les élus les exploités, les démunis, les marginaux, ceux dont le cœur a été brisé par la souffrance. Au contraire, je considère comme des non-élus les exploiteurs, les riches, ceux dont la vie facile a engourdi l'âme.

Mon père travaillait à titre de *Religion Editor* au *Washington Post*. J'ai grandi au sein de l'Église unitarienne. Les unitariens forment une société de libres penseurs plutôt qu'une vraie secte chrétienne. Ce sont des puritains extrémistes puisqu'ils essaient de purifier la religion au maximum. Ils la purifient tellement que même Dieu a tendance à disparaître de leurs cogitations. Mon père était agnostique.

Lorsque j'avais dix ans, nos nouveaux voisins essayèrent de me convertir à la religion mormone. La dame répétait souvent l'expression: «Il est écrit dans la Bible que...» J'avais tellement envie de savoir ce que la Bible disait que j'ai entrepris de la lire de la première à la dernière page, entre douze et quatorze ans, à l'insu de mes parents, comme un vrai puritain. Je voulais simplement savoir ce qui était écrit dans la Bible, sans pour autant rien croire. Les unitariens rejettent les miracles, la virginité de Marie, la résurrection, etc. J'avais plutôt envie de me renseigner sur ce que croyaient les autres, les vrais chrétiens, juste par simple curiosité intellectuelle.

Contre mon gré, j'ai été totalement séduit par ma lecture de la Bible, surtout par le personnage et les paroles de Jésus. Le problème était que je ne voyais aucun rapport entre les commandements de Jésus et la manière de penser et de vivre de mes compatriotes chrétiens. Il me semblait qu'ils adoraient l'argent au lieu d'adorer Dieu.

Voici les paroles de la Bible que je trouvais les plus belles: «Aimez vos ennemis.» J'ai décidé de passer toute ma vie comme pacifiste. Jésus déclare que les premiers seront les derniers et les derniers les premiers; en conséquence, je jugeais qu'il était le prototype parfait du socialiste. Dans les années cinquante et soixante, l'atmosphère était surréaliste pour un adolescent de Washington qui pensait que Jésus aurait préféré le pacifisme au militarisme, le socialisme au capitalisme, le spiritualisme au matérialisme.

L'étude précoce de la Bible est certainement à l'origine de mes idées hétérodoxes. J'établissais une nette distinction entre la religion des prêtres et celle des prophètes. Les prophètes veulent abaisser les riches, exalter les pauvres et instaurer un règne de justice sociale et de paix. Les prêtres, par contre, sont des vassaux des pouvoirs terrestres. Les prêtres sont normalement réactionnaires tandis que les prophètes, sans exception, sont révolutionnaires. Un prophète trouve que son pays offense Dieu, ce qui le rend à la fois triste et furieux. Il a un sentiment de haine et d'amour envers son peuple qui est inexprimable.

Les intellectuels de gauche tendent à ignorer cet aspect de la théologie biblique parce qu'ils sont déçus par la religion des prêtres de droite. Ils confondent Dieu avec l'Église. Ils voient que le Vatican condamne plusieurs types d'expression de l'amour humain, mais ferme les yeux devant les guerres et l'exploitation. Ils concluent donc que la religion ne vaut rien.

Je me plais à croire que Karl Marx, Sigmund Freud, Bertrand Russell, Jean-Paul Sartre et Albert Camus n'auraient pas été athées s'ils avaient vécu ce que j'ai vécu. Leur vie fut plus facile que la mienne.

Dieu se révèle dans les profondeurs de l'expérience humaine. On découvre ce qu'est l'âme au moment même où on découvre Dieu. Sans le vouloir, j'ai mené la vie d'un puritain typique du XVIIe siècle, au moins du point de vue théologique. J'ai été obligé de garder secrète ma foi religieuse, car elle n'est pas à la mode, surtout chez les intellectuels.

> J'ai longtemps gardé le silence, je me suis tu, je me suis contenu. Je crierai comme une femme en travail, je serai haletant et je soufflerai tout à la fois. Je ravagerai montagnes et collines. (Isaïe, XLII, 14-15.)

Avec l'engagement de mon pays dans la guerre du Viêt-nam, je me suis dit que j'étais né dans un pays où je ne devais pas vivre. Je considérais déjà l'Allemagne nazie comme l'incarnation du mal et je croyais que ma patrie était en train de remplacer le Troisième Reich dans ce rôle. Les États-Unis capitalistes et impérialistes étaient pour moi le royaume de Mammon et l'abomination de la désolation. J'ai donc abandonné mon pays malheureux pour toujours en 1968. Je voyais mourir mes amis les plus proches: au Viêt-nam, en prison, par suicide, par surdose. Qui me redonnera Christopher, Mark, Geoffrey, David? Qui, quand, comment, où? Je ne sais quelle peine est plus douleureuse, celle de voir ma patrie responsable de la mort de mes meilleurs amis ou celle de la voir anéantir mes propres rêves. Vengeance! Je veux la vengeance! «À moi la vengeance, dit le Seigneur.» (Romains, XII, 19.)

J'ai appris dans les années soixante, en lisant l'œuvre du théologien marxiste allemand Paul Tillich, que l'homme est par nature religieux. La santé mentale dépend de la santé spirituelle pour laquelle un respect du sacré, du mystérieux et du transcendant est nécessaire. Selon Tillich, la foi religieuse est la pierre angulaire de la culture. Sans elle, la vie est incomplète et superficielle. L'homme ne peut vivre sans se donner une raison d'être qui devient en quelque sorte son dieu. Trop souvent les dieux qu'on adore sont des dieux visibles et mondains, tels que l'argent, le succès, le nationalisme, la vie sociale. Le problème avec ces dieux-là, c'est qu'ils finissent par réduire l'homme en esclavage. Ils déçoivent inévitablement ceux qui les honorent. L'autre solution, selon Tillich, serait d'adorer le Dieu invisible, éternel et transcendant des religions monothéistes, Celui qui apparaît lorsqu'on perd toute foi dans les dieux terrestres. J'ai lu tout ce qui est disponible de l'œuvre de Tillich. Il est mon maître et je suis son disciple.

Les États-Unis sont devenus l'empire du matérialisme. Il est très difficile d'y vivre si on n'est pas prêt à sacrifier sa vie au capitalisme. L'argent y compte comme la valeur suprême. Je refusais de faire de l'argent une valeur fondamentale et je ne voulais pas que les riches me considèrent comme leur inférieur parce que j'avais moins d'argent qu'eux.

Ma génération souffrait peut-être plus que toute autre d'un conflit de valeurs. Nous voyions bien que la réalité de la vie américaine, de la guerre, du matérialisme, était coupée des valeurs spirituelles que nous avions apprises dans nos églises et nos synagogues. Nous nous rendions compte de l'hypocrisie de nos parents et de nos politiciens. Nous étions les victimes d'un grand lavage de cerveau. Le but principal de notre éducation était de nous convaincre que nous vivions dans le meilleur pays de l'histoire. Il était clair pour nous que cette idée n'était qu'un mythe, qu'un mensonge.

Après avoir essayé de cambrioler sa propre banque dans le but de déclencher une révolution socialiste, mon ami Mark exprimait ainsi notre mépris pour le matérialisme de notre pays: «*This whole sick structure, this whole society is based on only one thing: the accumulation and preservation of money*[2]» («La structure entière de notre société malade n'a qu'un fondement: l'accumulation et la conservation de l'argent.») Jésus a dit qu'une maison érigée sur l'adoration de l'argent ne peut survivre. La pourriture sociale, psychologique et morale qui caractérise les États-Unis d'aujourd'hui est le résultat de son matérialisme. L'empire américain tombera, non pas à cause des communistes, mais plutôt à cause des capitalistes.

Les hippies, les révolutionnaires et les décrocheurs de ma génération rejetaient les horreurs de la société de consommation et de l'impérialisme capitaliste, fruits de l'éthique puritaine. Pourtant, quelques-uns d'entre nous avons découvert le Dieu pour lequel les premiers puritains sont venus en Nouvelle-Angleterre, Celui qui est à la fois sévère et compatissant, mystérieux et intime, terrifiant et fascinant, qui est source de sagesse, d'amour, de joie, de foi et de courage. Lorsque Dieu entre dans notre vie, nous sommes incapables de nous débarrasser de Lui.

En 1602, William Bradford étudiait la Bible, lui aussi à l'âge de douze ans. Il espérait vivre plus en paix avec Dieu dans la forêt de l'Amérique que cela ne lui avait été possible dans son pays natal. Moi aussi, je souhaitais que Dieu m'inspire plus claire- ment en exil qu'Il n'aurait pu le faire si j'étais resté dans mon pays d'origine. Il ne m'a pas déçu.

> Il sera le juge des nations, l'arbitre d'un grand nombre de peuples. De leurs glaives ils forgeront des hoyaux, et de leurs lances des serpes: une nation ne tirera plus l'épée contre une autre, et l'on n'apprendra plus la guerre. (Isaïe, II, 4.)

1. Jean-François Lisée, *Dans l'œil de l'aigle*, Montréal, Boréal, 1990, p. 455.
2. *The Boston Phoenix*, 11 septembre 1973, p. 3.

Bibliographie

ALLENDE, Isabel (1991). *El Plan infinito*, Barcelone, Plaza y Janes.

ARMSTRONG, Karen (1993). *A History of God*, New York, Alfred A. Knopf.

BALDWIN, James (1962). *The Fire Next Time*, New York, Laurel.

BAUM, Alice S., et Donald W. BURNES (1993). *A Nation in Denial: The Truth about Homelessness*, Boulder, Westview Press.

BAYM, Nine, et autres (dir.) (1989). *The Norton Anthology of American Literature*, New York, W. W. Norton.

BLOOM, Allan (1987). *The Closing of the American Mind*, New York, Simon and Schuster.

CRÈVECŒUR, J. Hector Saint-John de (1957). *Letters from an American Farmer*, New York, E. P. Dutton.

CURRENT, Richard N., T. Harry WILLIAMS et Frank FREIDEL (1961). *American History: A Survey*, New York, Alfred A. Knopf.

DAVIS, Angela (dir.) (1971). *If They Come in the Morning*, San Francisco, New American Library.

FINE, Sidney et Gerald BROWN (dir.) (1961). *The American Past: Conflicting Interpretations of the Great Issues*, vol. II, New York, Macmillan.

FRENCH, Marilyn (1992). *The War against Women*, New York, Ballantine.

GARNETS, Linda D. et Douglas C. KIMMEL (dir.) (1993). *Psychological Perspectives on Lesbian and Gay Male Experiences*, New York, Columbia University Press.

KOZOL, Jonathan (1985). *Illiterate America*, New York, New American Library.

LISÉE, Jean-François (1990). *Dans l'œil de l'aigle*, Montréal, Boréal.

MACPHERSON, Myra (1984). *Long Time Passing: Vietnam and the Haunted Generation*, New York, Doubleday.

MARCUSE, Herbert (1964). *One-dimensional Man*, Boston, Beacon Press.

MILLER, Henry (1945). *The Air-conditioned Nightmare*, New York, New Directions.

MILLER, Perry. *The New England Mind: The Seventeenth Century*, Boston, Beacon Press.

MILLER, Perry (dir.) (1956). *The American Puritans: Their Prose and Poetry*, New York, Anchor Books.

OATES, Joyce Carol (1990a). *American Appetites*, New York, Harper and Row.

—— (1990b). *Because it is Bitter, and Because it is my Heart*, New York, Penguin.

—— (1991). *The Rise of Life on Earth*, New York, New Directions.

—— (1992). *Black Water*, New York, Penguin.

TAWNEY, R. H. (1954). *Religion and the Rise of Capitalism*, New York, Mentor.

TOCQUEVILLE, Alexis de (s.d.). *De la démocratie en Amérique*, Paris, Nouveaux Horizons.

TROELTSCH, Ernst (1958). *Protestantism and Progress*, Boston, Beacon Press.

WEBER, Max (1964). *L'éthique protestante et l'esprit du capitalisme*, Paris, Plon.

ZINN, Howard (1980). *A People's History of the United States*, New York, Harper.

Table

CET OUVRAGE
COMPOSÉ EN PALATINO 12 POINTS SUR 14
A ÉTÉ ACHEVÉ D'IMPRIMER
LE VINGT-NEUF FÉVRIER
MIL NEUF CENT QUATRE-VINGT-SEIZE
PAR LES TRAVAILLEURS ET TRAVAILLEUSES
DES PRESSES
DE L'IMPRIMERIE GAGNÉ
À LOUISEVILLE
POUR LE COMPTE DE
VLB ÉDITEUR.

IMPRIMÉ AU QUÉBEC (CANADA)